초능력 수학 연산을 사면 초능력 쌤이 우리집으로 온다!

KB060141

초능력 쌤과 함께하는 연산 원리 동영상 강의 무료 제공

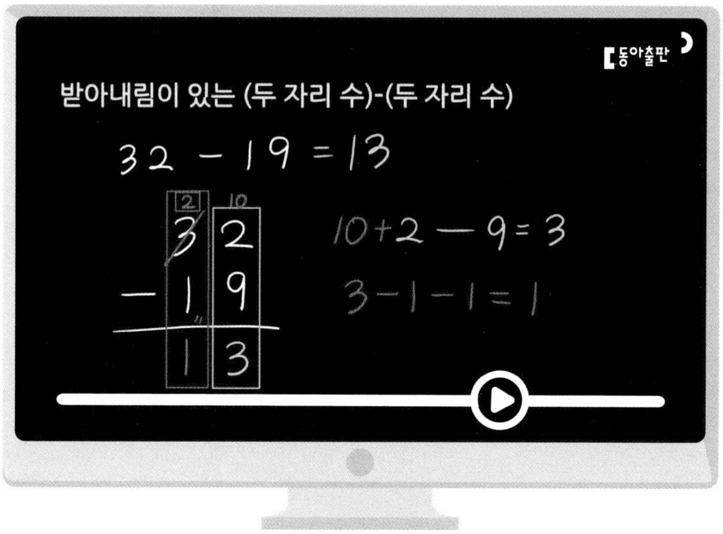

자꾸 연산에서 실수를 해요. 도와줘요~ 초능력 쌤!

연산에서 자꾸 실수를 하는 건 연산 원리를 제대로 이해하지 못했기 때문이야.

연산 원리요? 어떻게 연산 원리를 공부하면 돼요?

이제부터 내가 하나하나 알려줄게. 지금 바로 무료 스마트러닝에 접속해 봐.

와~!

초능력 쌤이랑 공부하니 제대로 연산 기초가 탄탄해지네요!

초능력 수학 연산 무료 스마트러닝 접속 방법

방법 1

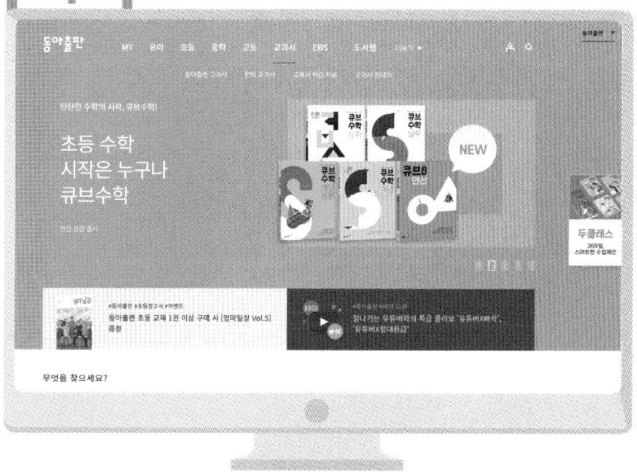

동아출판 홈페이지 **www.bookdonga.com**에 접속하면 초능력 수학 연산 무료 스마트러닝을 이용할 수 있습니다.

방법 2

핸드폰이나 태블릿으로 **교재 표지나 본문에 있는 QR코드**를 찍으면 무료 스마트러닝에서 연산 원리 동영상 강의를 이용할 수 있습니다.

초능력 쌤과 키우자, 공부힘!

국어 독해

예비 초등~6학년(전 7권)

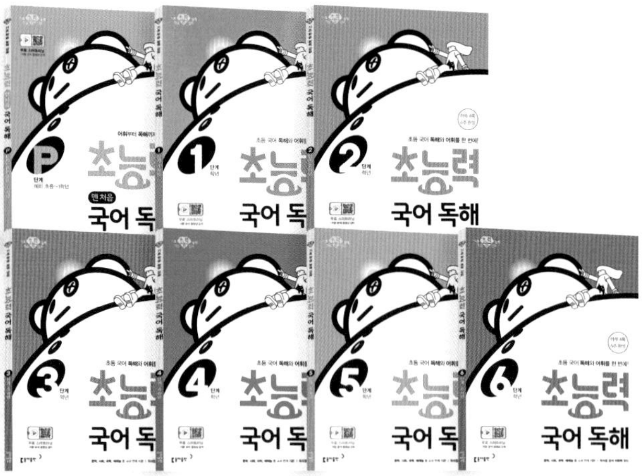

- 30개의 지문을 글의 종류와 구조에 따라 분석
- 지문 내용과 관련된 어휘와 배경 지식도 탄탄하게 정리

수학 연산

1학년~6학년(전 12권)

- 학년, 학기별 중요 연산 단원 집중 강화 학습
- 원리 강의를 통해 문제 풀이에 바로 적용

맞춤법+받아쓰기

예비 초등~2학년(전 3권)

- 맞춤법의 기본 원리를 이해하기 쉽게 설명
- 맞춤법 문제도 재미있는 풀이 강의로 해결

구구단 / 시계 • 달력 / 분수

1학년~5학년(전 3권)

- 초등 수학 핵심 영역을 한 권으로 효율적으로 학습
- 개념 강의를 통해 원리부터 이해

비주얼씽킹 초등 한국사 / 과학

1학년~6학년(각 3권)

- 비주얼씽킹으로 쉽게 이해하는 한국사
- 과학 개념을 재미있게 그림으로 설명

급수 한자

8급, 7급, 6급(전 3권)

- 급수 한자 8급, 7급, 6급 기출문제 완벽 분석
- 혼자서도 한자능력검정시험 완벽 대비

초능력 수학 연산 학습 플래너

스스로 학습 계획을 세우고 달성하면서
수학 연산 실력 향상은 물론
연산을 적용하는 힘을 키울 수 있습니다.

이 책을 학습한 날짜와 학습 결과를 체크해 보세요.

DAY	공부한 날	확인
01	월 일	☺ ☹
02	월 일	☺ ☹
03	월 일	☺ ☹
04	월 일	☺ ☹
05	월 일	☺ ☹
06	월 일	☺ ☹
07	월 일	☺ ☹
08	월 일	☺ ☹
09	월 일	☺ ☹
10	월 일	☺ ☹
11	월 일	☺ ☹
12	월 일	☺ ☹
13	월 일	☺ ☹
14	월 일	☺ ☹
15	월 일	☺ ☹
16	월 일	☺ ☹
17	월 일	☺ ☹
18	월 일	☺ ☹
19	월 일	☺ ☹
20	월 일	☺ ☹
21	월 일	☺ ☹
22	월 일	☺ ☹
23	월 일	☺ ☹
24	월 일	☺ ☹
25	월 일	☺ ☹
26	월 일	☺ ☹
27	월 일	☺ ☹
28	월 일	☺ ☹
29	월 일	☺ ☹
30	월 일	☺ ☹
31	월 일	☺ ☹

DAY	공부한 날	확인
32	월 일	☺ ☹
33	월 일	☺ ☹
34	월 일	☺ ☹
35	월 일	☺ ☹
36	월 일	☺ ☹
37	월 일	☺ ☹
38	월 일	☺ ☹
39	월 일	☺ ☹
40	월 일	☺ ☹
41	월 일	☺ ☹
42	월 일	☺ ☹
43	월 일	☺ ☹
44	월 일	☺ ☹
45	월 일	☺ ☹
46	월 일	☺ ☹
47	월 일	☺ ☹
48	월 일	☺ ☹
49	월 일	☺ ☹
50	월 일	☺ ☹
51	월 일	☺ ☹
52	월 일	☺ ☹
53	월 일	☺ ☹
54	월 일	☺ ☹
55	월 일	☺ ☹
56	월 일	☺ ☹
57	월 일	☺ ☹
58	월 일	☺ ☹
59	월 일	☺ ☹
60	월 일	☺ ☹
61	월 일	☺ ☹
62	월 일	☺ ☹

이렇게 활용하세요.

공부한 날에 맞게 날짜를 쓰고
학습 결과에 맞추어 확인란에 체크합니다.

예

DAY	공부한 날	확인
01	1 월 2 일	☺ ☹

초능력 수학 연산 칸 노트 활용법

중학교, 고등학교에서도 초등학교 때 배운 수학 연산을 바탕으로 새로운 지식을 배우게 됩니다.
수학 연산에서 가장 중요한 것은 **정확성**입니다.
계산 실수를 하지 않는 습관을 들이는 것이 가장 중요합니다.

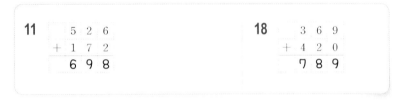

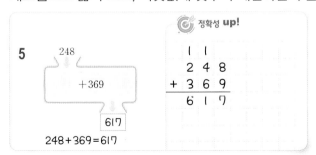

1단계 바른 계산 원리 이해

원리 단계에서 칸 노트에 제시된 문제를 해결하면서 바른 계산 원리를 이해합니다.

11

	5	2	6
+	1	7	2
	6	9	8

18

	3	6	9
+	4	2	0
	7	8	9

2단계 바른 계산 연습

연습 단계에서 제시된 가로셈 문제를 직접 **정확성 UP**! 칸 노트에 세로셈으로 옮겨 쓰고, 자릿값에 맞추어 계산하면서 바른 계산을 연습합니다.

21 581+414=995

22 842+152=994

정확성 up!

	5	8	1
+	4	1	4
	9	9	5

3단계 적용 문제 해결

적용 단계에서 제시된 적용 문제를 가로셈으로 나타낸 다음 다시 **정확성 UP**! 칸 노트에 세로셈으로 옮겨 쓰고, 자릿값에 맞추어 계산하면서 문제해결력을 강화합니다.

5 248 → +369 → 617

248+369=617

정확성 up!

	1	1	
	2	4	8
+	3	6	9
	6	1	7

바른 계산, **빠른** 연산!

초능력

수학 연산

초등 수학

6·2

6학년 2학기
연계 학년 단원 구성

교과서 모든 영역별 계산 문제를 단원별로 묶어 한 학기를 끝내도록 구성되어 있어요.

이럴 땐 이렇게 교재를 선택하세요.

해당 학기 교재 단원 중 어려워하는 단원은 이전 학기 교재를 선택하여 부족한 부분을 보충하세요.

6학년 1학기

단원	학습 내용
1. 분수의 나눗셈	(자연수)÷(자연수), (진분수)÷(자연수), (가분수)÷(자연수), (대분수)÷(자연수)
2. 소수의 나눗셈	(소수)÷(자연수)의 계산 방법, (소수)÷(자연수), (자연수)÷(자연수)
3. 비와 비율	비로 나타내기, 비율로 나타내기, 비율을 백분율로 나타내기, 백분율을 비율로 나타내기
4. 직육면체의 부피와 겉넓이	직육면체와 정육면체의 부피, 직육면체와 정육면체의 겉넓이

6학년 2학기

단원	1. 분수의 나눗셈
학습 내용	❶ 분모가 같은 (진분수)÷(진분수)
	❷ 분모가 다른 (진분수)÷(진분수)
	❸ (자연수)÷(분수)
	❹ (분수)÷(분수)를 (분수)×(분수)로 나타내기
	❺ (가분수)÷(진분수)
	❻ (대분수)÷(진분수)
	❼ (대분수)÷(대분수)

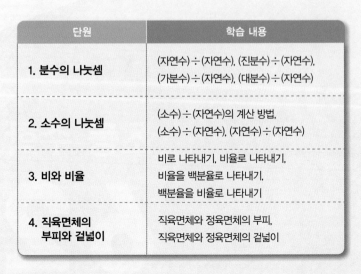

	2. 소수의 나눗셈	3. 비례식과 비례배분	4. 원의 넓이
	❶ (소수 한 자리 수)÷(소수 한 자리 수)	❶ 비의 성질	❶ 원주 구하기
	❷ (소수 두 자리 수)÷(소수 두 자리 수)		
	❸ (소수 두 자리 수)÷(소수 한 자리 수)	❷ 간단한 자연수의 비로 나타내기	❷ 지름 또는 반지름 구하기
	❹ (자연수)÷(소수 한 자리 수)		
	❺ (자연수)÷(소수 두 자리 수)	❸ 비례식의 성질	
	❻ 몫을 반올림하여 나타내기		❸ 원의 넓이 구하기
	❼ 몫을 자연수 부분까지 구하고 나머지 구하기	❹ 비례배분	

이런 점이 좋아요!

학습 플래너 관리

학습 플래너에 스스로 학습 계획을
세우고 달성하면서 규칙적인 학습 습관을
키우도록 합니다.

특화 단원 집중 강화 학습

학년, 학기별 중요한 연산 단원을 집중 강화
학습할 수 있도록 구성하여 연산력을
완성합니다.

정확성을 길러주는 연산 쓰기 연습

기계적으로 단순 반복하는 연산 학습이 아닌
칸 노트를 활용하여 스스로 정확하게 쓰는
연습에 집중하도록 합니다.

연산 능력을 문제에 적용하는 학습

연산을 실전 문제에 적용하여 풀어볼 수 있어
연산력 뿐만 아니라 수학 실력도 향상시킵니다.

이렇게 구성되어 있어요!

원리

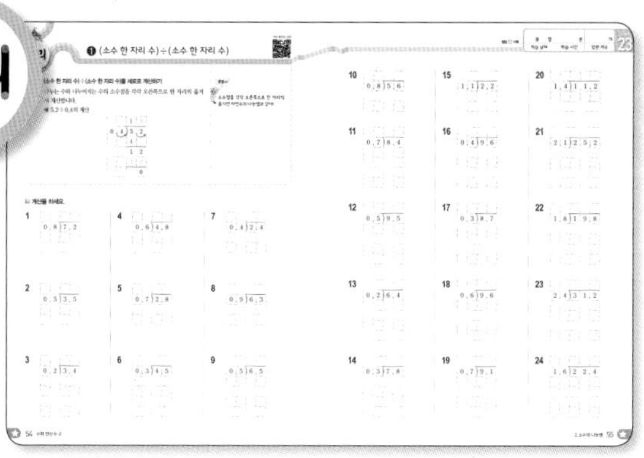

학습 내용별 연산 원리를 문제로 설명하여 계산 원리를 스스로 익힙니다.

연산 원리 동영상 강의

QR코드를 스마트폰으로 찍으면 연산 원리 동영상 강의를 무료로 학습할 수 있습니다.

연습

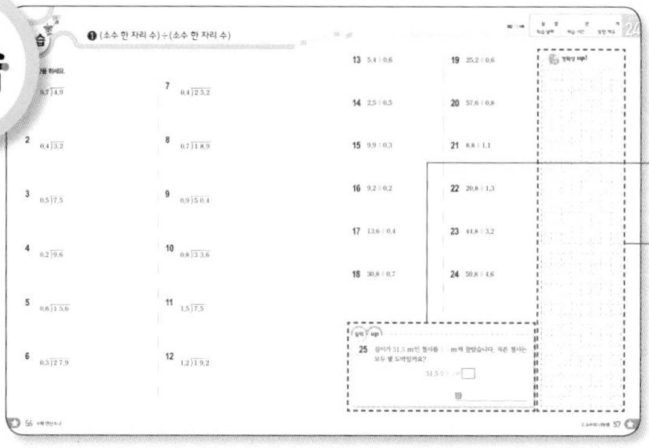

학습 내용별 원리를 토대로 문제를 해결하면서 연습을 충분히 합니다.

실력 up 연산이 적용되는 실전 문제를 해결하면서 수학 실력을 키웁니다.

정확성 up! 칸 노트를 활용하여 자릿값에 맞추어 문제를 쓰고 해결하면서 정확성을 높입니다.

	2	5	1
+	7	3	1
	9	8	2

적용

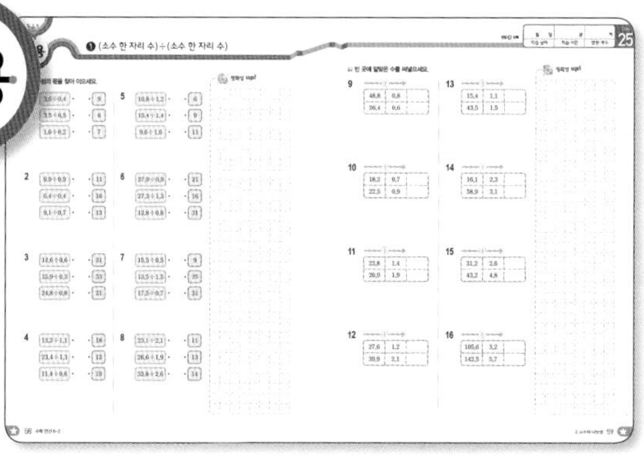

학습 내용별 충분히 연습한 연산 원리를 유연하게 조작하여 스스로 문제를 해결하는 능력을 키웁니다.

평가

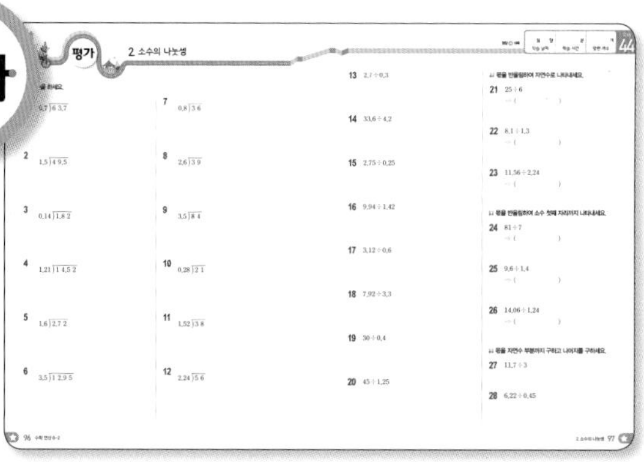

학습 내용별 연습과 적용에서 학습한 내용을 토대로 한 단원의 내용을 종합적으로 확인합니다.

차례

1 분수의 나눗셈

학습 계획표

학습 내용	원리	연습	적용
❶ 분모가 같은 (진분수) ÷ (진분수)	Day 01	Day 02	Day 03
❷ 분모가 다른 (진분수) ÷ (진분수)	Day 04	Day 05	Day 06
❸ (자연수) ÷ (분수)	Day 07	Day 08	Day 09
❹ (분수) ÷ (분수)를 (분수) × (분수)로 나타내기	Day 10	Day 11	Day 12
❺ (가분수) ÷ (진분수)	Day 13	Day 14	Day 15
❻ (대분수) ÷ (진분수)	Day 16	Day 17	Day 18
❼ (대분수) ÷ (대분수)	Day 19	Day 20	Day 21
평가	Day 22		

학습 관리 tip 맨 앞장의 학습 플래너를 이용하여 학습 스케줄을 관리하도록 하세요!

❶ 분모가 같은 (진분수)÷(진분수)

원리 동영상 강의

분모가 같은 (진분수) ÷ (진분수) 계산하기

분모가 같은 (진분수) ÷ (진분수)는 분자끼리 나누어 계산합니다.

예 $\frac{4}{5}\div\frac{2}{5}$와 $\frac{5}{8}\div\frac{3}{8}$의 계산

- $\frac{4}{5}\div\frac{2}{5}=4\div2=2$ — 분자끼리 나누어떨어지는 경우
- $\frac{5}{8}\div\frac{3}{8}=5\div3=\frac{5}{3}\left(=1\frac{2}{3}\right)$ — 분자끼리 나누어떨어지지 않는 경우

분자끼리 나누어떨어지지 않는 분모가 같은 (진분수)÷(진분수)의 계산

→ $\frac{\blacktriangle}{\blacksquare}\div\frac{\bullet}{\blacksquare}=\blacktriangle\div\bullet=\frac{\blacktriangle}{\bullet}$

□ 안에 알맞은 수를 써넣으세요.

1 $\frac{2}{3}\div\frac{1}{3}=\square\div\square=\square$

2 $\frac{6}{7}\div\frac{3}{7}=\square\div\square=\square$

3 $\frac{4}{9}\div\frac{2}{9}=\square\div\square=\square$

4 $\frac{8}{11}\div\frac{4}{11}=\square\div\square=\square$

5 $\frac{9}{14}\div\frac{3}{14}=\square\div\square=\square$

6 $\frac{15}{16}\div\frac{5}{16}=\square\div\square=\square$

7 $\frac{8}{9}\div\frac{2}{9}=\square\div\square=\square$

8 $\frac{9}{10}\div\frac{3}{10}=\square\div\square=\square$

9 $\frac{12}{13}\div\frac{3}{13}=\square\div\square=\square$

10 $\frac{14}{15}\div\frac{2}{15}=\square\div\square=\square$

11 $\frac{10}{17}\div\frac{5}{17}=\square\div\square=\square$

12 $\frac{16}{19}\div\frac{4}{19}=\square\div\square=\square$

13 $\frac{3}{5} \div \frac{2}{5} = \square \div \square = \frac{\square}{\square}$

14 $\frac{6}{7} \div \frac{5}{7} = \square \div \square = \frac{\square}{\square}$

15 $\frac{7}{8} \div \frac{3}{8} = \square \div \square = \frac{\square}{\square}$

16 $\frac{8}{9} \div \frac{5}{9} = \square \div \square = \frac{\square}{\square}$

17 $\frac{9}{10} \div \frac{7}{10} = \square \div \square = \frac{\square}{\square}$

18 $\frac{7}{12} \div \frac{5}{12} = \square \div \square = \frac{\square}{\square}$

19 $\frac{11}{15} \div \frac{8}{15} = \square \div \square = \frac{\square}{\square}$

20 $\frac{11}{12} \div \frac{5}{12} = \square \div \square = \frac{\square}{\square}$

21 $\frac{8}{11} \div \frac{3}{11} = \square \div \square = \frac{\square}{\square}$

22 $\frac{9}{14} \div \frac{11}{14} = \square \div \square = \frac{\square}{\square}$

23 $\frac{13}{16} \div \frac{9}{16} = \square \div \square = \frac{\square}{\square}$

24 $\frac{14}{15} \div \frac{13}{15} = \square \div \square = \frac{\square}{\square}$

25 $\frac{15}{17} \div \frac{16}{17} = \square \div \square = \frac{\square}{\square}$

26 $\frac{17}{20} \div \frac{13}{20} = \square \div \square = \frac{\square}{\square}$

연습

❶ 분모가 같은 (진분수)÷(진분수)

계산을 하세요.

1 $\frac{5}{6} \div \frac{1}{6}$

2 $\frac{4}{7} \div \frac{2}{7}$

3 $\frac{8}{9} \div \frac{4}{9}$

4 $\frac{10}{11} \div \frac{5}{11}$

5 $\frac{12}{13} \div \frac{4}{13}$

6 $\frac{8}{15} \div \frac{2}{15}$

7 $\frac{14}{19} \div \frac{2}{19}$

8 $\frac{15}{16} \div \frac{3}{16}$

9 $\frac{16}{17} \div \frac{2}{17}$

10 $\frac{18}{19} \div \frac{6}{19}$

11 $\frac{15}{22} \div \frac{5}{22}$

12 $\frac{21}{25} \div \frac{7}{25}$

13 $\frac{36}{37} \div \frac{4}{37}$

14 $\frac{48}{49} \div \frac{3}{49}$

15 $\frac{4}{5} \div \frac{3}{5}$

16 $\frac{5}{7} \div \frac{2}{7}$

17 $\frac{7}{9} \div \frac{4}{9}$

18 $\frac{9}{11} \div \frac{8}{11}$

19 $\frac{8}{13} \div \frac{7}{13}$

20 $\frac{11}{14} \div \frac{5}{14}$

21 $\frac{13}{15} \div \frac{4}{15}$

22 $\frac{18}{19} \div \frac{17}{19}$

23 $\frac{7}{12} \div \frac{11}{12}$

24 $\frac{9}{16} \div \frac{13}{16}$

25 $\frac{14}{17} \div \frac{11}{17}$

26 $\frac{19}{20} \div \frac{3}{20}$

27 $\frac{13}{21} \div \frac{8}{21}$

28 $\frac{30}{37} \div \frac{7}{37}$

실력 up

29 가로가 $\frac{24}{25}$ cm이고 세로가 $\frac{11}{25}$ cm인 직사각형이 있습니다. 이 직사각형의 가로는 세로의 몇 배일까요?

$\frac{24}{25} \div \frac{11}{25} = \square$

답 ____________

적용 ❶ 분모가 같은 (진분수)÷(진분수)

빈 곳에 알맞은 수를 써넣으세요.

1 $\frac{7}{8}$ → $\div \frac{1}{8}$ → ☐

2 $\frac{12}{13}$ → $\div \frac{2}{13}$ → ☐

3 $\frac{20}{21}$ → $\div \frac{4}{21}$ → ☐

4 $\frac{27}{31}$ → $\div \frac{3}{31}$ → ☐

5 $\frac{7}{9}$ → $\div \frac{2}{9}$ → ☐

6 $\frac{9}{11}$ → $\div \frac{4}{11}$ → ☐

7 $\frac{13}{17}$ → $\div \frac{7}{17}$ → ☐

8 $\frac{11}{20}$ → $\div \frac{3}{20}$ → ☐

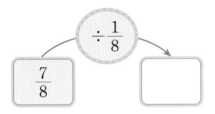

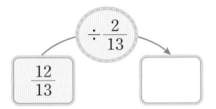

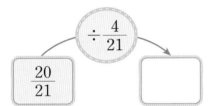

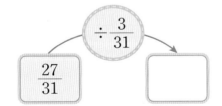

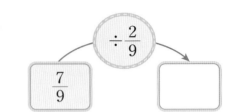

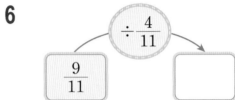

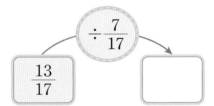

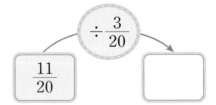

빈 곳에 알맞은 수를 써넣으세요.

9 $\frac{9}{11}$ | $\div \frac{3}{11}$ |

10 $\frac{12}{17}$ | $\div \frac{6}{17}$ |

11 $\frac{25}{27}$ | $\div \frac{5}{27}$ |

12 $\frac{27}{28}$ | $\div \frac{9}{28}$ |

13 $\frac{11}{13}$ | $\div \frac{2}{13}$ |

14 $\frac{13}{15}$ | $\div \frac{7}{15}$ |

15 $\frac{16}{19}$ | $\div \frac{11}{19}$ |

16 $\frac{20}{23}$ | $\div \frac{9}{23}$ |

원리

❷ 분모가 다른 (진분수)÷(진분수)

● 분모가 다른 (진분수) ÷ (진분수) 계산하기

분모가 다른 (진분수) ÷ (진분수)는 두 분모를 같게 통분한 다음 분자끼리 나누어 계산합니다.

예 $\frac{3}{5} \div \frac{3}{10}$과 $\frac{2}{3} \div \frac{3}{7}$의 계산

- $\frac{3}{5} \div \frac{3}{10} = \frac{6}{10} \div \frac{3}{10} = 6 \div 3 = 2$ — 분자끼리 나누어떨어지는 경우
- $\frac{2}{3} \div \frac{3}{7} = \frac{14}{21} \div \frac{9}{21} = 14 \div 9 = \frac{14}{9}\left(=1\frac{5}{9}\right)$ — 분자끼리 나누어떨어지지 않는 경우

조심이

분모가 다른 진분수끼리의 나눗셈에서 통분하기 전에 분자끼리 나누어 계산하면 안 돼!

$\frac{3}{5} \div \frac{3}{10} = 3 \div 3 = 1$ (✕)

□ 안에 알맞은 수를 써넣으세요.

1 $\frac{1}{2} \div \frac{1}{4} = \frac{\square}{4} \div \frac{\square}{4} = \square \div \square = \square$

2 $\frac{1}{3} \div \frac{1}{6} = \frac{\square}{6} \div \frac{\square}{6} = \square \div \square = \square$

3 $\frac{3}{4} \div \frac{1}{12} = \frac{\square}{12} \div \frac{\square}{12} = \square \div \square = \square$

4 $\frac{5}{7} \div \frac{5}{28} = \frac{\square}{28} \div \frac{\square}{28} = \square \div \square = \square$

5 $\frac{4}{5} \div \frac{4}{15} = \frac{\square}{15} \div \frac{\square}{15} = \square \div \square = \square$

6 $\frac{1}{4} \div \frac{1}{16} = \frac{\square}{16} \div \frac{\square}{16} = \square \div \square = \square$

7 $\frac{5}{6} \div \frac{5}{18} = \frac{\square}{18} \div \frac{\square}{18} = \square \div \square = \square$

8 $\frac{4}{7} \div \frac{2}{21} = \frac{\square}{21} \div \frac{\square}{21} = \square \div \square = \square$

9 $\frac{7}{8} \div \frac{7}{24} = \frac{\square}{24} \div \frac{\square}{24} = \square \div \square = \square$

10 $\frac{2}{9} \div \frac{2}{45} = \frac{\square}{45} \div \frac{\square}{45} = \square \div \square = \square$

11 $\frac{4}{5}\div\frac{2}{3}=\frac{\square}{15}\div\frac{\square}{15}$

$=\square\div\square=\frac{\square}{\square}$

12 $\frac{8}{9}\div\frac{8}{15}=\frac{\square}{45}\div\frac{\square}{45}$

$=\square\div\square=\frac{\square}{\square}$

13 $\frac{3}{5}\div\frac{7}{10}=\frac{\square}{10}\div\frac{\square}{10}$

$=\square\div\square=\frac{\square}{\square}$

14 $\frac{3}{4}\div\frac{4}{7}=\frac{\square}{28}\div\frac{\square}{28}$

$=\square\div\square=\frac{\square}{\square}$

15 $\frac{2}{5}\div\frac{1}{3}=\frac{\square}{15}\div\frac{\square}{15}$

$=\square\div\square=\frac{\square}{\square}$

16 $\frac{7}{8}\div\frac{3}{4}=\frac{\square}{8}\div\frac{\square}{8}$

$=\square\div\square=\frac{\square}{\square}$

17 $\frac{6}{7}\div\frac{5}{6}=\frac{\square}{42}\div\frac{\square}{42}$

$=\square\div\square=\frac{\square}{\square}$

18 $\frac{9}{11}\div\frac{2}{5}=\frac{\square}{55}\div\frac{\square}{55}$

$=\square\div\square=\frac{\square}{\square}$

19 $\frac{5}{9}\div\frac{3}{4}=\frac{\square}{36}\div\frac{\square}{36}$

$=\square\div\square=\frac{\square}{\square}$

20 $\frac{3}{8}\div\frac{5}{6}=\frac{\square}{24}\div\frac{\square}{24}$

$=\square\div\square=\frac{\square}{\square}$

21 $\frac{5}{11}\div\frac{2}{3}=\frac{\square}{33}\div\frac{\square}{33}$

$=\square\div\square=\frac{\square}{\square}$

22 $\frac{5}{8}\div\frac{3}{7}=\frac{\square}{56}\div\frac{\square}{56}$

$=\square\div\square=\frac{\square}{\square}$

연습 ❷ 분모가 다른 (진분수)÷(진분수)

계산을 하세요.

1 $\frac{4}{5} \div \frac{1}{10}$

2 $\frac{5}{9} \div \frac{5}{18}$

3 $\frac{4}{7} \div \frac{4}{21}$

4 $\frac{5}{7} \div \frac{3}{8}$

5 $\frac{7}{9} \div \frac{4}{5}$

6 $\frac{6}{7} \div \frac{5}{8}$

7 $\frac{5}{9} \div \frac{3}{8}$

8 $\frac{2}{3} \div \frac{1}{2}$

9 $\frac{3}{7} \div \frac{2}{5}$

10 $\frac{3}{4} \div \frac{4}{9}$

11 $\frac{5}{6} \div \frac{2}{3}$

12 $\frac{3}{4} \div \frac{2}{7}$

13 $\frac{7}{13} \div \frac{3}{5}$

14 $\frac{9}{16} \div \frac{2}{3}$

15 $\frac{9}{10} \div \frac{5}{7}$

16 $\frac{19}{21} \div \frac{5}{7}$

17 $\frac{8}{15} \div \frac{1}{6}$

18 $\frac{12}{13} \div \frac{7}{8}$

19 $\frac{9}{11} \div \frac{4}{9}$

20 $\frac{7}{10} \div \frac{1}{3}$

21 $\frac{3}{5} \div \frac{8}{15}$

22 $\frac{2}{9} \div \frac{7}{12}$

23 $\frac{5}{6} \div \frac{7}{16}$

24 $\frac{7}{8} \div \frac{11}{18}$

25 $\frac{8}{9} \div \frac{11}{13}$

26 $\frac{5}{11} \div \frac{2}{13}$

27 $\frac{7}{10} \div \frac{9}{20}$

실력 up

28 오늘 밭에서 지웅이는 고구마를 $\frac{13}{20}$ kg 캤고, 영후는 $\frac{2}{5}$ kg 캤습니다. 지웅이가 캔 고구마 양은 영후가 캔 고구마 양의 몇 배일까요?

$\frac{13}{20} \div \frac{2}{5} = \square$

답 ______

적용 ❷ 분모가 다른 (진분수)÷(진분수)

빈 곳에 알맞은 수를 써넣으세요.

1 $\frac{9}{10}$ — $\div \frac{9}{20}$ → □

2 $\frac{5}{8}$ — $\div \frac{5}{16}$ → □

3 $\frac{4}{5}$ — $\div \frac{3}{7}$ → □

4 $\frac{10}{11}$ — $\div \frac{3}{4}$ → □

5 $\frac{1}{4}$ — $\div \frac{1}{9}$ → □

6 $\frac{2}{3}$ — $\div \frac{5}{8}$ → □

7 $\frac{7}{9}$ — $\div \frac{5}{12}$ → □

8 $\frac{4}{7}$ — $\div \frac{3}{10}$ → □

□ 안에 알맞은 수를 써넣으세요.

9 $\frac{4}{9}$ → $\div\frac{7}{15}$ → □

10 $\frac{5}{7}$ → $\div\frac{2}{5}$ → □

11 $\frac{9}{11}$ → $\div\frac{7}{8}$ → □

12 $\frac{8}{13}$ → $\div\frac{3}{7}$ → □

13 $\frac{3}{4}$ → $\div\frac{5}{6}$ → □

14 $\frac{5}{8}$ → $\div\frac{1}{5}$ → □

15 $\frac{4}{9}$ → $\div\frac{11}{30}$ → □

16 $\frac{7}{12}$ → $\div\frac{3}{10}$ → □

원리

❸ (자연수)÷(분수)

(자연수)÷(분수) 계산하기

(자연수)÷(분수)는 자연수를 분자로 나눈 다음 분모를 곱하여 계산합니다.

예 $4\div\frac{2}{5}$의 계산

$$4\div\frac{2}{5}=(4\div2)\times5=10$$

뿜뿜이

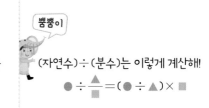

(자연수)÷(분수)는 이렇게 계산해!

● ÷ ▲/■ = (● ÷ ▲) × ■

□ 안에 알맞은 수를 써넣으세요.

1 $3\div\frac{3}{5}=(\square\div\square)\times\square=\square$

2 $6\div\frac{3}{8}=(\square\div\square)\times\square=\square$

3 $9\div\frac{3}{7}=(\square\div\square)\times\square=\square$

4 $5\div\frac{5}{9}=(\square\div\square)\times\square=\square$

5 $12\div\frac{2}{7}=(\square\div\square)\times\square=\square$

6 $4\div\frac{2}{3}=(\square\div\square)\times\square=\square$

7 $8\div\frac{4}{9}=(\square\div\square)\times\square=\square$

8 $10\div\frac{5}{11}=(\square\div\square)\times\square=\square$

9 $7\div\frac{7}{8}=(\square\div\square)\times\square=\square$

10 $9\div\frac{3}{5}=(\square\div\square)\times\square=\square$

11 $8\div\frac{4}{11}=(\square\div\square)\times\square=\square$

12 $15\div\frac{3}{10}=(\square\div\square)\times\square=\square$

13 $18\div\frac{2}{3}=(\square\div\square)\times\square=\square$

14 $12\div\frac{3}{4}=(\square\div\square)\times\square=\square$

15 $14\div\frac{7}{9}=(\square\div\square)\times\square=\square$

16 $10\div\frac{2}{5}=(\square\div\square)\times\square=\square$

17 $20\div\frac{5}{11}=(\square\div\square)\times\square=\square$

18 $16\div\frac{4}{13}=(\square\div\square)\times\square=\square$

19 $28\div\frac{7}{15}=(\square\div\square)\times\square=\square$

20 $15\div\frac{5}{7}=(\square\div\square)\times\square=\square$

21 $18\div\frac{9}{10}=(\square\div\square)\times\square=\square$

22 $21\div\frac{7}{15}=(\square\div\square)\times\square=\square$

23 $22\div\frac{2}{3}=(\square\div\square)\times\square=\square$

24 $25\div\frac{5}{14}=(\square\div\square)\times\square=\square$

25 $28\div\frac{4}{5}=(\square\div\square)\times\square=\square$

26 $30\div\frac{6}{7}=(\square\div\square)\times\square=\square$

연습 ❸ (자연수)÷(분수)

계산을 하세요.

1 $5 \div \frac{5}{6}$

2 $6 \div \frac{2}{3}$

3 $8 \div \frac{2}{9}$

4 $9 \div \frac{3}{8}$

5 $10 \div \frac{5}{7}$

6 $12 \div \frac{3}{11}$

7 $14 \div \frac{7}{13}$

8 $15 \div \frac{3}{7}$

9 $16 \div \frac{4}{5}$

10 $18 \div \frac{2}{9}$

11 $20 \div \frac{2}{3}$

12 $21 \div \frac{7}{13}$

13 $22 \div \frac{11}{15}$

14 $24 \div \frac{6}{7}$

15 $25 \div \frac{5}{12}$

16 $27 \div \frac{9}{10}$

17 $28 \div \frac{4}{15}$

18 $30 \div \frac{6}{17}$

19 $32 \div \frac{8}{9}$

20 $35 \div \frac{5}{8}$

21 $36 \div \frac{6}{17}$

22 $40 \div \frac{8}{11}$

23 $42 \div \frac{6}{11}$

24 $45 \div \frac{9}{13}$

25 $48 \div \frac{8}{15}$

26 $49 \div \frac{7}{12}$

27 $54 \div \frac{9}{10}$

28 $56 \div \frac{8}{21}$

실력 up

29 길이가 15 m인 나무 막대를 $\frac{5}{8}$ m씩 잘랐습니다. 자른 나무 막대는 모두 몇 도막일까요?

$15 \div \frac{5}{8} = \square$

답 ______

적용 ③ (자연수)÷(분수)

자연수를 분수로 나눈 몫을 빈 곳에 써넣으세요.

1. 12, $\frac{2}{9}$ → [ ]

2. 16, $\frac{8}{15}$ → [ ]

3. 24, $\frac{3}{7}$ → [ ]

4. 32, $\frac{4}{11}$ → [ ]

5. 15, $\frac{5}{12}$ → [ ]

6. 21, $\frac{3}{13}$ → [ ]

7. 26, $\frac{2}{5}$ → [ ]

8. 36, $\frac{4}{7}$ → [ ]

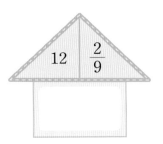

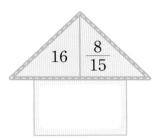

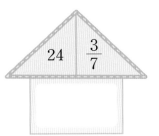

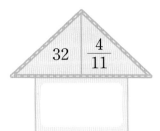

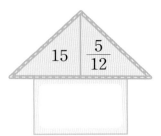

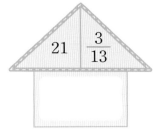

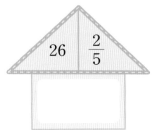

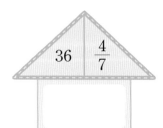

정답 ➔ 4쪽

월 일	분	개
학습 날짜	학습 시간	맞힌 개수

빈 곳에 알맞은 수를 써넣으세요.

9

$\div \frac{4}{5}$

8	
36	

10

$\div \frac{6}{7}$

18	
48	

11

$\div \frac{8}{13}$

24	
40	

12

$\div \frac{9}{11}$

27	
63	

13

$\div \frac{2}{15}$

10	
16	

14

$\div \frac{5}{9}$

20	
35	

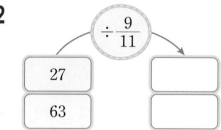

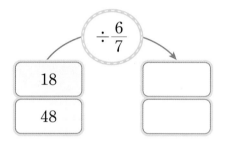

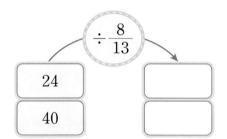

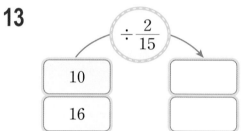

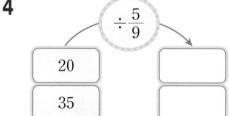

❹ (분수)÷(분수)를 (분수)×(분수)로 나타내기

원리 동영상 강의

○ (분수)÷(분수)를 (분수)×(분수)로 나타내어 계산하기

(분수)÷(분수)는 나눗셈을 곱셈으로 바꾸고 나누는 분수의 분모와 분자를 바꾸어 계산합니다.

예 $\frac{2}{5} \div \frac{3}{4}$의 계산

$$\frac{2}{5} \div \frac{3}{4} = \frac{2}{5} \times \frac{4}{3} = \frac{8}{15}$$

뽐뽐이

분모가 다른 분수끼리의 나눗셈은 분모를 통분하여 분자끼리 나누는 방법보다 분수의 곱셈으로 나타내어 계산하는 것이 더 간단해!

$\frac{●}{■} \div \frac{★}{▲} = \frac{●}{■} \times \frac{▲}{★}$

□ 안에 알맞은 수를 써넣으세요.

1 $\frac{2}{3} \div \frac{3}{5} = \frac{2}{3} \times \frac{\square}{\square} = \frac{\square}{\square}$

2 $\frac{1}{6} \div \frac{2}{7} = \frac{1}{6} \times \frac{\square}{\square} = \frac{\square}{\square}$

3 $\frac{3}{7} \div \frac{4}{5} = \frac{3}{7} \times \frac{\square}{\square} = \frac{\square}{\square}$

4 $\frac{4}{9} \div \frac{3}{4} = \frac{4}{9} \times \frac{\square}{\square} = \frac{\square}{\square}$

5 $\frac{4}{5} \div \frac{7}{9} = \frac{4}{5} \times \frac{\square}{\square} = \frac{\square}{\square}$

6 $\frac{5}{7} \div \frac{2}{3} = \frac{5}{7} \times \frac{\square}{\square} = \frac{\square}{\square}$

7 $\frac{2}{9} \div \frac{3}{8} = \frac{2}{9} \times \frac{\square}{\square} = \frac{\square}{\square}$

8 $\frac{1}{4} \div \frac{4}{5} = \frac{1}{4} \times \frac{\square}{\square} = \frac{\square}{\square}$

9 $\frac{7}{8} \div \frac{2}{7} = \frac{7}{8} \times \frac{\square}{\square} = \frac{\square}{\square}$

10 $\frac{8}{9} \div \frac{3}{4} = \frac{8}{9} \times \frac{\square}{\square} = \frac{\square}{\square}$

11 $\frac{3}{10} \div \frac{5}{7} = \frac{3}{10} \times \frac{\square}{\square} = \frac{\square}{\square}$

12 $\frac{5}{8} \div \frac{4}{5} = \frac{5}{8} \times \frac{\square}{\square} = \frac{\square}{\square}$

13 $\frac{5}{9} \div \frac{7}{11} = \frac{5}{9} \times \frac{\square}{\square} = \frac{\square}{\square}$

14 $\frac{5}{13} \div \frac{2}{5} = \frac{5}{13} \times \frac{\square}{\square} = \frac{\square}{\square}$

15 $\frac{3}{4} \div \frac{5}{8} = \frac{3}{4} \times \frac{\square}{\square} = \frac{\square}{\square}$

16 $\frac{3}{5} \div \frac{5}{7} = \frac{3}{5} \times \frac{\square}{\square} = \frac{\square}{\square}$

17 $\frac{4}{7} \div \frac{2}{13} = \frac{4}{7} \times \frac{\square}{\square} = \frac{\square}{\square}$

18 $\frac{1}{3} \div \frac{7}{10} = \frac{1}{3} \times \frac{\square}{\square} = \frac{\square}{\square}$

19 $\frac{2}{5} \div \frac{5}{16} = \frac{2}{5} \times \frac{\square}{\square} = \frac{\square}{\square}$

20 $\frac{7}{8} \div \frac{8}{9} = \frac{7}{8} \times \frac{\square}{\square} = \frac{\square}{\square}$

21 $\frac{5}{11} \div \frac{7}{10} = \frac{5}{11} \times \frac{\square}{\square} = \frac{\square}{\square}$

22 $\frac{11}{14} \div \frac{4}{9} = \frac{11}{14} \times \frac{\square}{\square} = \frac{\square}{\square}$

23 $\frac{9}{10} \div \frac{5}{6} = \frac{9}{10} \times \frac{\square}{\square} = \frac{\square}{\square}$

24 $\frac{7}{12} \div \frac{2}{7} = \frac{7}{12} \times \frac{\square}{\square} = \frac{\square}{\square}$

연습 ❹ (분수)÷(분수)를 (분수)×(분수)로 나타내기

계산을 하세요.

1 $\frac{2}{3} \div \frac{3}{8}$

2 $\frac{2}{9} \div \frac{3}{7}$

3 $\frac{2}{5} \div \frac{5}{9}$

4 $\frac{5}{8} \div \frac{4}{7}$

5 $\frac{1}{6} \div \frac{2}{5}$

6 $\frac{5}{9} \div \frac{7}{8}$

7 $\frac{4}{7} \div \frac{3}{4}$

8 $\frac{3}{5} \div \frac{9}{10}$

9 $\frac{4}{9} \div \frac{3}{11}$

10 $\frac{3}{8} \div \frac{5}{13}$

11 $\frac{4}{5} \div \frac{7}{12}$

12 $\frac{3}{4} \div \frac{4}{15}$

13 $\frac{5}{6} \div \frac{7}{13}$

14 $\frac{8}{9} \div \frac{5}{11}$

15 $\frac{5}{7} \div \frac{3}{13}$

16 $\frac{7}{8} \div \frac{7}{15}$

17 $\frac{2}{9} \div \frac{3}{10}$

18 $\frac{9}{11} \div \frac{2}{7}$

19 $\frac{7}{12} \div \frac{5}{6}$

20 $\frac{14}{17} \div \frac{3}{5}$

21 $\frac{11}{16} \div \frac{5}{9}$

22 $\frac{7}{10} \div \frac{2}{3}$

23 $\frac{9}{14} \div \frac{2}{9}$

24 $\frac{13}{18} \div \frac{4}{5}$

25 $\frac{7}{10} \div \frac{3}{4}$

26 $\frac{13}{15} \div \frac{5}{8}$

27 $\frac{9}{20} \div \frac{8}{11}$

실력 up

28 넓이가 $\frac{13}{20}$ m^2인 직사각형이 있습니다. 이 직사각형의 세로가 $\frac{4}{5}$ m일 때 가로는 몇 m일까요?

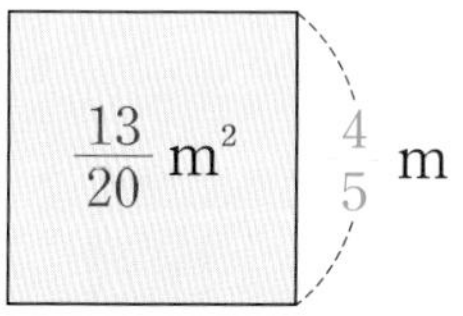

$\frac{13}{20} \div \frac{4}{5} = \square$

답 ____________

적용 ❹ (분수)÷(분수)를 (분수)×(분수)로 나타내기

□ 안에 알맞은 수를 써넣으세요.

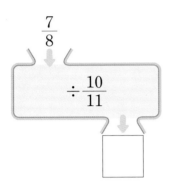

1 $\frac{7}{8}$ → $\div \frac{10}{11}$ → □

2 $\frac{2}{7}$ → $\div \frac{5}{9}$ → □

3 $\frac{9}{13}$ → $\div \frac{2}{11}$ → □

4 $\frac{4}{9}$ → $\div \frac{9}{11}$ → □

5 $\frac{11}{17}$ → $\div \frac{2}{3}$ → □

6 $\frac{4}{5}$ → $\div \frac{13}{14}$ → □

7 $\frac{8}{15}$ → $\div \frac{7}{8}$ → □

8 $\frac{9}{16}$ → $\div \frac{3}{4}$ → □

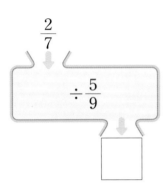

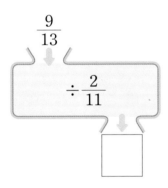

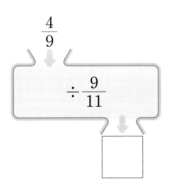

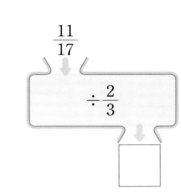

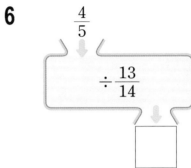

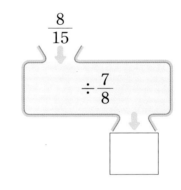

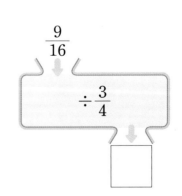

빈 곳에 알맞은 수를 써넣으세요.

9 ÷ →

$\frac{2}{3}$	$\frac{15}{17}$	
$\frac{10}{11}$	$\frac{3}{8}$	

10 ÷ →

$\frac{13}{16}$	$\frac{7}{9}$	
$\frac{11}{17}$	$\frac{3}{5}$	

11 ÷ →

$\frac{5}{7}$	$\frac{12}{13}$	
$\frac{9}{13}$	$\frac{8}{11}$	

12 ÷ →

$\frac{16}{19}$	$\frac{3}{5}$	
$\frac{17}{20}$	$\frac{2}{7}$	

13 ÷ →

$\frac{4}{9}$	$\frac{5}{6}$	
$\frac{5}{17}$	$\frac{2}{25}$	

14 ÷ →

$\frac{7}{8}$	$\frac{6}{7}$	
$\frac{7}{22}$	$\frac{5}{9}$	

원리 ❺ (가분수)÷(진분수)

원리 동영상 강의

● (가분수)÷(진분수) 계산하기

(가분수)÷(진분수)는 두 분모를 같게 통분한 다음 분자끼리 나누어 계산하거나 분수의 나눗셈을 분수의 곱셈으로 바꾸어 계산합니다.

예 $\frac{4}{3}\div\frac{3}{5}$의 계산

방법 1 $\frac{4}{3}\div\frac{3}{5}=\frac{20}{15}\div\frac{9}{15}=20\div9=\frac{20}{9}\left(=2\frac{2}{9}\right)$

방법 2 $\frac{4}{3}\div\frac{3}{5}=\frac{4}{3}\times\frac{5}{3}=\frac{20}{9}\left(=2\frac{2}{9}\right)$

조심이

(가분수)÷(진분수)에서 분모끼리, 분자끼리 나누어 계산하면 안 돼!

$\frac{9}{8}\div\frac{3}{4}=\frac{9\div3}{8\div4}=\frac{3}{2}$

두 분모를 같게 통분하여 계산하려고 합니다. □ 안에 알맞은 수를 써넣으세요.

1 $\frac{5}{4}\div\frac{2}{3}=\frac{\square}{12}\div\frac{\square}{12}=\square\div\square=\frac{\square}{\square}$

2 $\frac{8}{7}\div\frac{3}{4}=\frac{\square}{28}\div\frac{\square}{28}=\square\div\square=\frac{\square}{\square}$

3 $\frac{7}{3}\div\frac{5}{9}=\frac{\square}{9}\div\frac{\square}{9}=\square\div\square=\frac{\square}{\square}$

4 $\frac{9}{5}\div\frac{3}{4}=\frac{\square}{20}\div\frac{\square}{20}=\square\div\square=\frac{\square}{\square}$

5 $\frac{17}{2}\div\frac{2}{5}=\frac{\square}{10}\div\frac{\square}{10}=\square\div\square=\frac{\square}{\square}$

6 $\frac{13}{6}\div\frac{2}{3}=\frac{\square}{6}\div\frac{\square}{6}=\square\div\square=\frac{\square}{\square}$

7 $\frac{15}{8}\div\frac{2}{9}=\frac{\square}{72}\div\frac{\square}{72}=\square\div\square=\frac{\square}{\square}$

8 $\frac{11}{4}\div\frac{8}{9}=\frac{\square}{36}\div\frac{\square}{36}=\square\div\square=\frac{\square}{\square}$

분수의 곱셈으로 바꾸어 계산하려고 합니다. □ 안에 알맞은 수를 써넣으세요.

9 $\frac{3}{2} \div \frac{4}{9} = \frac{3}{2} \times \frac{\square}{\square} = \frac{\square}{\square}$

10 $\frac{7}{6} \div \frac{2}{9} = \frac{7}{6} \times \frac{\square}{\square} = \frac{\square}{\square}$

11 $\frac{9}{4} \div \frac{2}{5} = \frac{9}{4} \times \frac{\square}{\square} = \frac{\square}{\square}$

12 $\frac{9}{8} \div \frac{4}{7} = \frac{9}{8} \times \frac{\square}{\square} = \frac{\square}{\square}$

13 $\frac{8}{3} \div \frac{7}{10} = \frac{8}{3} \times \frac{\square}{\square} = \frac{\square}{\square}$

14 $\frac{5}{4} \div \frac{4}{5} = \frac{5}{4} \times \frac{\square}{\square} = \frac{\square}{\square}$

15 $\frac{6}{5} \div \frac{2}{7} = \frac{6}{5} \times \frac{\square}{\square} = \frac{\square}{\square}$

16 $\frac{12}{5} \div \frac{5}{6} = \frac{12}{5} \times \frac{\square}{\square} = \frac{\square}{\square}$

17 $\frac{16}{7} \div \frac{3}{10} = \frac{16}{7} \times \frac{\square}{\square} = \frac{\square}{\square}$

18 $\frac{13}{5} \div \frac{3}{4} = \frac{13}{5} \times \frac{\square}{\square} = \frac{\square}{\square}$

19 $\frac{11}{3} \div \frac{5}{6} = \frac{11}{3} \times \frac{\square}{\square} = \frac{\square}{\square}$

20 $\frac{17}{6} \div \frac{6}{7} = \frac{17}{6} \times \frac{\square}{\square} = \frac{\square}{\square}$

21 $\frac{20}{11} \div \frac{7}{9} = \frac{20}{11} \times \frac{\square}{\square} = \frac{\square}{\square}$

22 $\frac{23}{10} \div \frac{7}{8} = \frac{23}{10} \times \frac{\square}{\square} = \frac{\square}{\square}$

연습 ❺ (가분수)÷(진분수)

계산을 하세요.

1 $\frac{9}{5} \div \frac{2}{3}$

2 $\frac{7}{6} \div \frac{3}{5}$

3 $\frac{9}{8} \div \frac{8}{9}$

4 $\frac{5}{2} \div \frac{7}{9}$

5 $\frac{7}{5} \div \frac{2}{7}$

6 $\frac{4}{3} \div \frac{3}{4}$

7 $\frac{5}{4} \div \frac{4}{7}$

8 $\frac{11}{7} \div \frac{3}{8}$

9 $\frac{13}{9} \div \frac{4}{5}$

10 $\frac{14}{5} \div \frac{5}{7}$

11 $\frac{17}{8} \div \frac{2}{3}$

12 $\frac{10}{3} \div \frac{7}{8}$

13 $\frac{15}{4} \div \frac{4}{9}$

14 $\frac{21}{10} \div \frac{2}{7}$

15 $\frac{15}{2} \div \frac{4}{7}$

16 $\frac{11}{6} \div \frac{5}{8}$

17 $\frac{19}{4} \div \frac{7}{9}$

18 $\frac{16}{5} \div \frac{2}{7}$

19 $\frac{10}{9} \div \frac{5}{6}$

20 $\frac{14}{3} \div \frac{5}{8}$

21 $\frac{13}{4} \div \frac{2}{5}$

22 $\frac{17}{2} \div \frac{3}{4}$

23 $\frac{13}{8} \div \frac{4}{9}$

24 $\frac{23}{6} \div \frac{2}{3}$

25 $\frac{21}{5} \div \frac{5}{7}$

26 $\frac{10}{3} \div \frac{9}{11}$

27 $\frac{20}{13} \div \frac{7}{8}$

28 $\frac{15}{11} \div \frac{4}{5}$

실력 up

29 재희는 물을 $\frac{5}{3}$ L 마셨고, 민지는 $\frac{7}{10}$ L 마셨습니다. 재희가 마신 물 양은 민지가 마신 물 양의 몇 배일까요?

$\frac{5}{3} \div \frac{7}{10} = \square$

답

적용 ❺ (가분수)÷(진분수)

빈 곳에 알맞은 수를 써넣으세요.

1 $\frac{9}{2}$ → $\div \frac{7}{9}$ → □

2 $\frac{7}{3}$ → $\div \frac{2}{5}$ → □

3 $\frac{11}{7}$ → $\div \frac{5}{6}$ → □

4 $\frac{16}{5}$ → $\div \frac{3}{4}$ → □

5 $\frac{13}{8}$ → $\div \frac{2}{3}$ → □

6 $\frac{19}{9}$ → $\div \frac{3}{7}$ → □

7 $\frac{21}{4}$ → $\div \frac{5}{8}$ → □

8 $\frac{15}{11}$ → $\div \frac{4}{7}$ → □

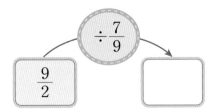

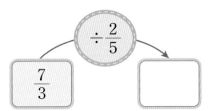

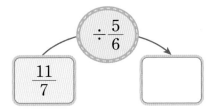

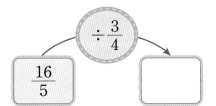

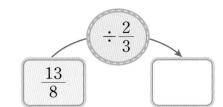

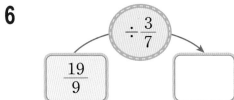

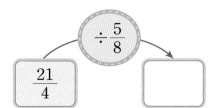

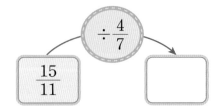

빈 곳에 알맞은 수를 써넣으세요.

9 $\frac{4}{3}$ | $\div\frac{5}{6}$ | ☐

10 $\frac{7}{2}$ | $\div\frac{3}{8}$ | ☐

11 $\frac{16}{7}$ | $\div\frac{4}{5}$ | ☐

12 $\frac{23}{8}$ | $\div\frac{2}{3}$ | ☐

13 $\frac{22}{9}$ | $\div\frac{6}{7}$ | ☐

14 $\frac{29}{6}$ | $\div\frac{2}{5}$ | ☐

15 $\frac{31}{5}$ | $\div\frac{3}{4}$ | ☐

16 $\frac{13}{10}$ | $\div\frac{4}{9}$ | ☐

원리 동영상 강의

원리 ❻ (대분수)÷(진분수)

● (대분수)÷(진분수) 계산하기

① 대분수를 가분수로 바꿉니다.

② 두 분모를 같게 통분하고 분자끼리 나누어 계산하거나 분수의 나눗셈을 분수의 곱셈으로 바꾸어 계산합니다.

예 $1\frac{3}{4}\div\frac{2}{3}$의 계산

방법 1 $1\frac{3}{4}\div\frac{2}{3}=\frac{7}{4}\div\frac{2}{3}=\frac{21}{12}\div\frac{8}{12}$
$=21\div8=\frac{21}{8}\left(=2\frac{5}{8}\right)$

방법 2 $1\frac{3}{4}\div\frac{2}{3}=\frac{7}{4}\div\frac{2}{3}=\frac{7}{4}\times\frac{3}{2}=\frac{21}{8}\left(=2\frac{5}{8}\right)$

조심이

(대분수)÷(진분수)에서 대분수를 가분수로 바꾸지 않고 나눗셈을 하면 안 돼!

$1\frac{3}{4}\div\frac{2}{3}=1\frac{3}{4}\times\frac{3}{2}=1\frac{9}{8}=2\frac{1}{8}$ (X)

두 분모를 같게 통분하여 계산하려고 합니다. □ 안에 알맞은 수를 써넣으세요.

1 $1\frac{2}{5}\div\frac{3}{7}=\frac{\square}{5}\div\frac{3}{7}=\frac{\square}{35}\div\frac{\square}{35}$
$=\square\div\square=\frac{\square}{\square}$

2 $4\frac{1}{2}\div\frac{5}{8}=\frac{\square}{2}\div\frac{5}{8}=\frac{\square}{8}\div\frac{\square}{8}$
$=\square\div\square=\frac{\square}{\square}$

3 $2\frac{2}{3}\div\frac{2}{5}=\frac{\square}{3}\div\frac{2}{5}=\frac{\square}{15}\div\frac{\square}{15}$
$=\square\div\square=\frac{\square}{\square}$

4 $3\frac{3}{4}\div\frac{2}{3}=\frac{\square}{4}\div\frac{2}{3}=\frac{\square}{12}\div\frac{\square}{12}$
$=\square\div\square=\frac{\square}{\square}$

5 $1\frac{2}{3}\div\frac{2}{9}=\frac{\square}{3}\div\frac{2}{9}=\frac{\square}{9}\div\frac{\square}{9}$
$=\square\div\square=\frac{\square}{\square}$

6 $2\frac{1}{2}\div\frac{3}{4}=\frac{\square}{2}\div\frac{3}{4}=\frac{\square}{4}\div\frac{\square}{4}$
$=\square\div\square=\frac{\square}{\square}$

7 $2\frac{5}{6}\div\frac{3}{5}=\frac{\square}{6}\div\frac{3}{5}=\frac{\square}{30}\div\frac{\square}{30}$
$=\square\div\square=\frac{\square}{\square}$

8 $1\frac{4}{7}\div\frac{5}{6}=\frac{\square}{7}\div\frac{5}{6}=\frac{\square}{42}\div\frac{\square}{42}$
$=\square\div\square=\frac{\square}{\square}$

분수의 곱셈으로 바꾸어 계산하려고 합니다. □ 안에 알맞은 수를 써넣으세요.

9 $2\frac{1}{5} \div \frac{4}{9} = \frac{\square}{5} \div \frac{4}{9}$
$= \frac{\square}{\square} \times \frac{\square}{\square} = \frac{\square}{\square}$

10 $3\frac{1}{2} \div \frac{5}{7} = \frac{\square}{2} \div \frac{5}{7}$
$= \frac{\square}{\square} \times \frac{\square}{\square} = \frac{\square}{\square}$

11 $2\frac{3}{4} \div \frac{2}{3} = \frac{\square}{4} \div \frac{2}{3}$
$= \frac{\square}{\square} \times \frac{\square}{\square} = \frac{\square}{\square}$

12 $1\frac{7}{8} \div \frac{3}{5} = \frac{\square}{8} \div \frac{3}{5}$
$= \frac{\square}{\square} \times \frac{\square}{\square} = \frac{\square}{\square}$

13 $5\frac{1}{3} \div \frac{5}{6} = \frac{\square}{3} \div \frac{5}{6}$
$= \frac{\square}{\square} \times \frac{\square}{\square} = \frac{\square}{\square}$

14 $3\frac{1}{4} \div \frac{5}{8} = \frac{\square}{4} \div \frac{5}{8}$
$= \frac{\square}{\square} \times \frac{\square}{\square} = \frac{\square}{\square}$

15 $1\frac{5}{6} \div \frac{7}{9} = \frac{\square}{6} \div \frac{7}{9}$
$= \frac{\square}{\square} \times \frac{\square}{\square} = \frac{\square}{\square}$

16 $4\frac{2}{7} \div \frac{3}{4} = \frac{\square}{7} \div \frac{3}{4}$
$= \frac{\square}{\square} \times \frac{\square}{\square} = \frac{\square}{\square}$

17 $2\frac{3}{10} \div \frac{4}{5} = \frac{\square}{10} \div \frac{4}{5}$
$= \frac{\square}{\square} \times \frac{\square}{\square} = \frac{\square}{\square}$

18 $1\frac{5}{11} \div \frac{4}{7} = \frac{\square}{11} \div \frac{4}{7}$
$= \frac{\square}{\square} \times \frac{\square}{\square} = \frac{\square}{\square}$

연습

❻ (대분수)÷(진분수)

계산을 하세요.

1 $3\frac{2}{3} \div \frac{5}{9}$

2 $1\frac{1}{9} \div \frac{5}{6}$

3 $1\frac{4}{5} \div \frac{8}{9}$

4 $4\frac{2}{7} \div \frac{2}{3}$

5 $1\frac{2}{7} \div \frac{7}{11}$

6 $2\frac{3}{5} \div \frac{3}{4}$

7 $3\frac{2}{7} \div \frac{2}{5}$

8 $1\frac{5}{6} \div \frac{3}{5}$

9 $2\frac{1}{3} \div \frac{5}{9}$

10 $2\frac{3}{4} \div \frac{5}{8}$

11 $2\frac{2}{9} \div \frac{4}{5}$

12 $3\frac{1}{8} \div \frac{6}{7}$

13 $2\frac{2}{3} \div \frac{11}{12}$

14 $4\frac{1}{5} \div \frac{8}{9}$

15 $5\frac{2}{3} \div \frac{3}{10}$

16 $2\frac{5}{8} \div \frac{8}{9}$

17 $6\frac{1}{2} \div \frac{7}{8}$

18 $3\frac{3}{10} \div \frac{2}{5}$

19 $1\frac{7}{13} \div \frac{5}{6}$

20 $7\frac{6}{7} \div \frac{2}{3}$

21 $2\frac{7}{9} \div \frac{3}{8}$

22 $4\frac{2}{5} \div \frac{2}{7}$

23 $9\frac{1}{4} \div \frac{4}{5}$

24 $1\frac{3}{11} \div \frac{5}{8}$

25 $4\frac{3}{4} \div \frac{3}{5}$

26 $5\frac{2}{3} \div \frac{4}{9}$

27 $7\frac{1}{7} \div \frac{3}{4}$

실력 up

28 넓이가 $3\frac{4}{5}$ cm²인 평행사변형이 있습니다. 이 평행사변형의 높이가 $\frac{9}{10}$ cm일 때 밑변의 길이는 몇 cm일까요?

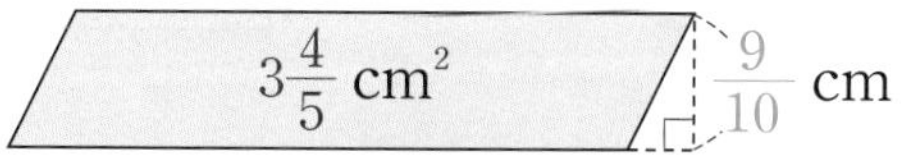

$3\frac{4}{5} \div \frac{9}{10} = \square$

답 ______

적용

❻ (대분수)÷(진분수)

빈 곳에 알맞은 수를 써넣으세요.

1 $8\frac{2}{3}$ — $\div\frac{3}{5}$ → ☐

2 $5\frac{1}{5}$ — $\div\frac{3}{8}$ → ☐

3 $3\frac{4}{9}$ — $\div\frac{5}{6}$ → ☐

4 $1\frac{11}{15}$ — $\div\frac{2}{3}$ → ☐

5 $2\frac{7}{9}$ — $\div\frac{4}{7}$ → ☐

6 $5\frac{3}{4}$ — $\div\frac{7}{8}$ → ☐

7 $4\frac{1}{2}$ — $\div\frac{8}{11}$ → ☐

8 $1\frac{7}{10}$ — $\div\frac{8}{9}$ → ☐

□ 안에 알맞은 수를 써넣으세요.

9 $8\frac{3}{5}$ → $\div \frac{5}{8}$ → □

13 $9\frac{6}{7}$ → $\div \frac{2}{3}$ → □

10 $7\frac{2}{3}$ → $\div \frac{3}{7}$ → □

14 $5\frac{1}{7}$ → $\div \frac{5}{6}$ → □

11 $1\frac{14}{17}$ → $\div \frac{4}{5}$ → □

15 $5\frac{3}{8}$ → $\div \frac{7}{10}$ → □

12 $1\frac{21}{25}$ → $\div \frac{3}{4}$ → □

16 $2\frac{3}{11}$ → $\div \frac{2}{9}$ → □

원리 동영상 강의

❼ (대분수)÷(대분수)

● (대분수)÷(대분수) 계산하기

① 대분수를 가분수로 바꿉니다.

② 두 분모를 같게 통분하고 분자끼리 나누어 계산하거나 분수의 나눗셈을 분수의 곱셈으로 바꾸어 계산합니다.

예 $3\frac{1}{2} \div 2\frac{3}{4}$의 계산

방법 1 $3\frac{1}{2} \div 2\frac{3}{4} = \frac{7}{2} \div \frac{11}{4} = \frac{14}{4} \div \frac{11}{4}$

$= 14 \div 11 = \frac{14}{11}\left(=1\frac{3}{11}\right)$

방법 2 $3\frac{1}{2} \div 2\frac{3}{4} = \frac{7}{2} \div \frac{11}{4} = \frac{7}{2} \times \frac{4}{11} = \frac{28}{22}\left(=1\frac{3}{11}\right)$

조심이

(대분수)÷(대분수)에서 대분수를 가분수로 바꾸지 않고 나눗셈을 하면 안 돼!

$3\frac{1}{2} \div 2\frac{3}{4} = 3\frac{1}{2} \times 2\frac{4}{3} = 6\frac{4}{6}$

두 분모를 같게 통분하여 계산하려고 합니다. □ 안에 알맞은 수를 써넣으세요.

1 $1\frac{5}{9} \div 1\frac{1}{6} = \frac{\square}{9} \div \frac{\square}{6}$

$= \frac{\square}{18} \div \frac{\square}{18}$

$= \square \div \square = \frac{\square}{\square}$

2 $3\frac{3}{7} \div 1\frac{3}{4} = \frac{\square}{7} \div \frac{\square}{4}$

$= \frac{\square}{28} \div \frac{\square}{28}$

$= \square \div \square = \frac{\square}{\square}$

3 $2\frac{1}{2} \div 2\frac{1}{10} = \frac{\square}{2} \div \frac{\square}{10}$

$= \frac{\square}{10} \div \frac{\square}{10}$

$= \square \div \square = \frac{\square}{\square}$

4 $3\frac{1}{3} \div 1\frac{2}{7} = \frac{\square}{3} \div \frac{\square}{7}$

$= \frac{\square}{21} \div \frac{\square}{21}$

$= \square \div \square = \frac{\square}{\square}$

5 $2\frac{1}{4} \div 5\frac{2}{3} = \frac{\square}{4} \div \frac{\square}{3}$

$= \frac{\square}{12} \div \frac{\square}{12}$

$= \square \div \square = \frac{\square}{\square}$

6 $1\frac{5}{8} \div 2\frac{1}{5} = \frac{\square}{8} \div \frac{\square}{5}$

$= \frac{\square}{40} \div \frac{\square}{40}$

$= \square \div \square = \frac{\square}{\square}$

정답 ➔ 9쪽

월 일	분	개
학습 날짜	학습 시간	맞힌 개수

분수의 곱셈으로 바꾸어 계산하려고 합니다. □ 안에 알맞은 수를 써넣으세요.

7 $2\frac{3}{4} \div 1\frac{4}{5} = \frac{\square}{4} \div \frac{\square}{5} = \frac{\square}{\square} \times \frac{\square}{\square} = \frac{\square}{\square}$

8 $2\frac{5}{8} \div 1\frac{3}{7} = \frac{\square}{8} \div \frac{\square}{7} = \frac{\square}{\square} \times \frac{\square}{\square} = \frac{\square}{\square}$

9 $1\frac{4}{11} \div 1\frac{4}{9} = \frac{\square}{11} \div \frac{\square}{9} = \frac{\square}{\square} \times \frac{\square}{\square} = \frac{\square}{\square}$

10 $4\frac{2}{3} \div 3\frac{3}{4} = \frac{\square}{3} \div \frac{\square}{4} = \frac{\square}{\square} \times \frac{\square}{\square} = \frac{\square}{\square}$

11 $6\frac{2}{3} \div 1\frac{7}{9} = \frac{\square}{3} \div \frac{\square}{9} = \frac{\square}{\square} \times \frac{\square}{\square} = \frac{\square}{\square}$

12 $2\frac{3}{5} \div 1\frac{1}{10} = \frac{\square}{5} \div \frac{\square}{10} = \frac{\square}{\square} \times \frac{\square}{\square} = \frac{\square}{\square}$

13 $5\frac{1}{2} \div 3\frac{2}{3} = \frac{\square}{2} \div \frac{\square}{3} = \frac{\square}{\square} \times \frac{\square}{\square} = \frac{\square}{\square}$

14 $5\frac{5}{7} \div 1\frac{1}{4} = \frac{\square}{7} \div \frac{\square}{4} = \frac{\square}{\square} \times \frac{\square}{\square} = \frac{\square}{\square}$

15 $2\frac{1}{3} \div 1\frac{5}{6} = \frac{\square}{3} \div \frac{\square}{6} = \frac{\square}{\square} \times \frac{\square}{\square} = \frac{\square}{\square}$

16 $3\frac{5}{6} \div 2\frac{4}{5} = \frac{\square}{6} \div \frac{\square}{5} = \frac{\square}{\square} \times \frac{\square}{\square} = \frac{\square}{\square}$

연습 ❼ (대분수)÷(대분수)

계산을 하세요.

1 $1\frac{1}{2} \div 1\frac{1}{3}$

2 $4\frac{2}{3} \div 2\frac{3}{5}$

3 $5\frac{1}{4} \div 2\frac{2}{9}$

4 $2\frac{5}{6} \div 5\frac{1}{3}$

5 $2\frac{2}{7} \div 2\frac{1}{4}$

6 $3\frac{3}{8} \div 1\frac{9}{10}$

7 $1\frac{2}{11} \div 5\frac{1}{3}$

8 $3\frac{4}{7} \div 2\frac{1}{2}$

9 $2\frac{3}{8} \div 1\frac{5}{6}$

10 $3\frac{1}{6} \div 2\frac{1}{3}$

11 $5\frac{1}{2} \div 1\frac{7}{9}$

12 $3\frac{3}{4} \div 3\frac{2}{3}$

13 $2\frac{5}{7} \div 1\frac{5}{6}$

14 $1\frac{1}{8} \div 1\frac{1}{13}$

15 $8\frac{4}{7} \div 2\frac{1}{2}$

16 $7\frac{1}{3} \div 4\frac{2}{5}$

17 $1\frac{5}{9} \div 2\frac{6}{7}$

18 $5\frac{3}{4} \div 2\frac{5}{6}$

19 $3\frac{2}{5} \div 2\frac{1}{3}$

20 $4\frac{4}{9} \div 3\frac{3}{5}$

21 $1\frac{5}{6} \div 1\frac{3}{4}$

22 $2\frac{3}{5} \div 1\frac{1}{10}$

23 $2\frac{1}{6} \div 2\frac{4}{9}$

24 $2\frac{2}{3} \div 1\frac{5}{8}$

25 $3\frac{3}{4} \div 1\frac{5}{6}$

26 $4\frac{2}{5} \div 4\frac{4}{9}$

27 $1\frac{7}{8} \div 4\frac{1}{3}$

28 $1\frac{3}{10} \div 3\frac{3}{7}$

실력 up

29 쇠막대 $1\frac{7}{10}$ m의 무게가 $4\frac{3}{4}$ kg입니다. 쇠막대 1 m의 무게는 몇 kg일까요?

$4\frac{3}{4} \div 1\frac{7}{10} = \square$

답

적용 ❼ (대분수)÷(대분수)

□ 안에 알맞은 수를 써넣으세요.

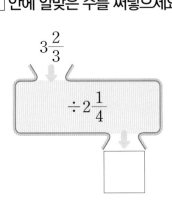

1 $3\frac{2}{3}$ → $\div 2\frac{1}{4}$ → □

2 $6\frac{2}{5}$ → $\div 4\frac{1}{2}$ → □

3 $5\frac{5}{6}$ → $\div 1\frac{2}{7}$ → □

4 $4\frac{1}{4}$ → $\div 1\frac{1}{9}$ → □

5 $1\frac{11}{12}$ → $\div 3\frac{1}{2}$ → □

6 $2\frac{3}{7}$ → $\div 1\frac{5}{8}$ → □

7 $3\frac{7}{8}$ → $\div 1\frac{3}{7}$ → □

8 $1\frac{4}{9}$ → $\div 2\frac{3}{4}$ → □

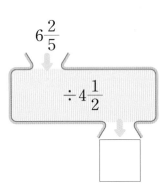

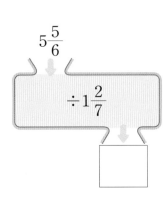

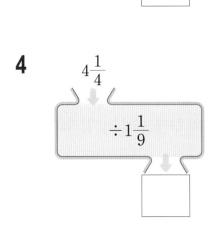

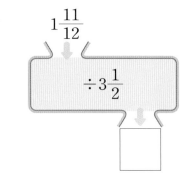

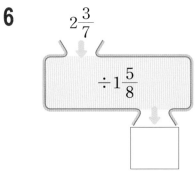

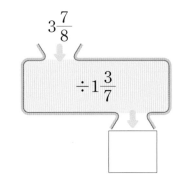

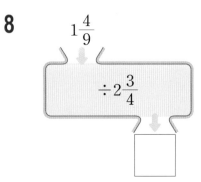

빈 곳에 알맞은 수를 써넣으세요.

9 ÷ →

$3\frac{3}{4}$	$2\frac{2}{7}$	
$2\frac{3}{8}$	$1\frac{3}{5}$	

10 ÷ →

$2\frac{5}{9}$	$3\frac{1}{2}$	
$7\frac{2}{3}$	$2\frac{3}{4}$	

11 ÷ →

$1\frac{3}{5}$	$1\frac{3}{8}$	
$4\frac{1}{6}$	$3\frac{1}{2}$	

12 ÷ →

$5\frac{5}{7}$	$2\frac{2}{5}$	
$3\frac{9}{13}$	$3\frac{1}{3}$	

13 ÷ →

$5\frac{4}{5}$	$5\frac{1}{2}$	
$3\frac{3}{7}$	$1\frac{2}{5}$	

14 ÷ →

$4\frac{2}{7}$	$1\frac{4}{9}$	
$9\frac{1}{2}$	$3\frac{1}{4}$	

1. 분수의 나눗셈

■■ 계산을 하세요.

1 $\dfrac{6}{7} \div \dfrac{2}{7}$

2 $\dfrac{15}{17} \div \dfrac{5}{17}$

3 $\dfrac{5}{9} \div \dfrac{2}{9}$

4 $\dfrac{11}{13} \div \dfrac{3}{13}$

5 $\dfrac{16}{19} \div \dfrac{7}{19}$

6 $\dfrac{1}{4} \div \dfrac{5}{9}$

7 $\dfrac{3}{5} \div \dfrac{7}{8}$

8 $\dfrac{7}{9} \div \dfrac{5}{8}$

9 $\dfrac{5}{6} \div \dfrac{7}{13}$

10 $\dfrac{4}{7} \div \dfrac{3}{13}$

11 $\dfrac{3}{10} \div \dfrac{3}{4}$

12 $\dfrac{9}{11} \div \dfrac{5}{6}$

13 $\dfrac{5}{12} \div \dfrac{2}{7}$

14 $\dfrac{4}{15} \div \dfrac{7}{8}$

15 $\dfrac{10}{13} \div \dfrac{7}{9}$

16 $\dfrac{11}{16} \div \dfrac{4}{5}$

17 $8 \div \frac{2}{7}$

18 $12 \div \frac{2}{3}$

19 $20 \div \frac{4}{13}$

20 $45 \div \frac{9}{14}$

21 $\frac{9}{5} \div \frac{4}{9}$

22 $\frac{11}{4} \div \frac{2}{5}$

23 $\frac{13}{2} \div \frac{4}{7}$

24 $\frac{16}{7} \div \frac{5}{6}$

25 $1\frac{2}{5} \div \frac{3}{8}$

26 $2\frac{5}{8} \div \frac{3}{5}$

27 $3\frac{1}{4} \div \frac{3}{7}$

28 $4\frac{3}{5} \div \frac{4}{9}$

29 $1\frac{7}{15} \div 4\frac{2}{3}$

30 $2\frac{7}{8} \div 1\frac{4}{5}$

31 $1\frac{3}{11} \div 1\frac{5}{8}$

32 $9\frac{1}{3} \div 1\frac{6}{7}$

빈 곳에 알맞은 수를 써넣으세요.

33 $\frac{8}{15}$ → $\div \frac{7}{15}$ → □

34 $\frac{9}{11}$ → $\div \frac{4}{5}$ → □

자연수를 분수로 나눈 몫을 빈 곳에 써넣으세요.

35 14, $\frac{2}{3}$ → □

36 48, $\frac{8}{11}$ → □

□ 안에 알맞은 수를 써넣으세요.

37 $\frac{9}{14}$ → $\div \frac{7}{11}$ → □

38 $\frac{13}{6}$ → $\div \frac{3}{7}$ → □

빈 곳에 알맞은 수를 써넣으세요.

39 $2\frac{1}{9}$ → $\div \frac{3}{4}$ → □

40 $7\frac{1}{3}$ → $\div 3\frac{2}{5}$ → □

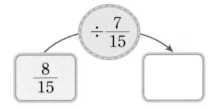

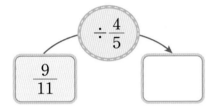

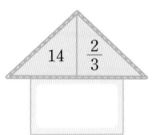

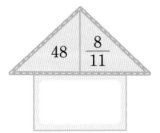

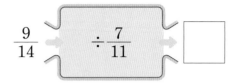

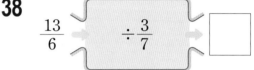

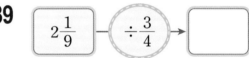

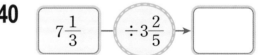

강화

2 소수의 나눗셈

학습 계획표

학습 내용	원리	연습	적용
❶ (소수 한 자리 수)÷(소수 한 자리 수)	Day **23**	Day **24**	Day **25**
❷ (소수 두 자리 수)÷(소수 두 자리 수)	Day **26**	Day **27**	Day **28**
❸ (소수 두 자리 수)÷(소수 한 자리 수)	Day **29**	Day **30**	Day **31**
❹ (자연수)÷(소수 한 자리 수)	Day **32**	Day **33**	Day **34**
❺ (자연수)÷(소수 두 자리 수)	Day **35**	Day **36**	Day **37**
❻ 몫을 반올림하여 나타내기	Day **38**	Day **39**	Day **40**
❼ 몫을 자연수 부분까지 구하고 나머지 구하기	Day **41**	Day **42**	Day **43**
평가		Day **44**	

학습 관리 **tip** 맨 앞장의 학습 플래너를 이용하여 학습 스케줄을 관리하도록 하세요!

원리 ❶ (소수 한 자리 수) ÷ (소수 한 자리 수)

원리 동영상 강의

(소수 한 자리 수) ÷ (소수 한 자리 수)를 세로로 계산하기

나누는 수와 나누어지는 수의 소수점을 각각 오른쪽으로 한 자리씩 옮겨서 계산합니다.

예 5.2 ÷ 0.4의 계산

		1	3
0.	4)	5.	2
		4	
		1	2
		1	2
			0

뽐뽐이

소수점을 각각 오른쪽으로 한 자리씩 옮기면 자연수의 나눗셈과 같아!

계산을 하세요.

1. 0.8) 7.2

2. 0.5) 3.5

3. 0.2) 3.4

4. 0.6) 4.8

5. 0.7) 2.8

6. 0.3) 4.5

7. 0.4) 2.4

8. 0.9) 6.3

9. 0.5) 6.5

월 일	분	개
학습 날짜	학습 시간	맞힌 개수

10 $0.8\overline{)5.6}$

11 $0.7\overline{)8.4}$

12 $0.5\overline{)9.5}$

13 $0.2\overline{)6.4}$

14 $0.3\overline{)7.8}$

15 $1.1\overline{)2.2}$

16 $0.4\overline{)9.6}$

17 $0.3\overline{)8.7}$

18 $0.6\overline{)9.6}$

19 $0.7\overline{)9.1}$

20 $1.4\overline{)11.2}$

21 $2.1\overline{)25.2}$

22 $1.8\overline{)19.8}$

23 $2.4\overline{)31.2}$

24 $1.6\overline{)22.4}$

연습 ❶ (소수 한 자리 수)÷(소수 한 자리 수)

계산을 하세요.

1 $0.7\overline{)4.9}$

2 $0.4\overline{)3.2}$

3 $0.5\overline{)7.5}$

4 $0.2\overline{)9.6}$

5 $0.6\overline{)15.6}$

6 $0.3\overline{)27.9}$

7 $0.4\overline{)25.2}$

8 $0.7\overline{)18.9}$

9 $0.9\overline{)50.4}$

10 $0.8\overline{)33.6}$

11 $1.5\overline{)7.5}$

12 $1.2\overline{)19.2}$

13 $5.4 \div 0.6$

14 $2.5 \div 0.5$

15 $9.9 \div 0.3$

16 $9.2 \div 0.2$

17 $13.6 \div 0.4$

18 $30.8 \div 0.7$

19 $25.2 \div 0.6$

20 $57.6 \div 0.8$

21 $8.8 \div 1.1$

22 $20.8 \div 1.3$

23 $44.8 \div 3.2$

24 $59.8 \div 4.6$

정확성 up!

실력 up

25 길이가 31.5 m인 철사를 1.5 m씩 잘랐습니다. 자른 철사는 모두 몇 도막일까요?

$31.5 \div 1.5 = \square$

답 ______

❶ (소수 한 자리 수)÷(소수 한 자리 수)

나눗셈의 몫을 찾아 이으세요.

정확성 up!

1

$3.6 \div 0.4$	9
$3.5 \div 0.5$	8
$1.6 \div 0.2$	7

2

$9.9 \div 0.9$	11
$6.4 \div 0.4$	16
$9.1 \div 0.7$	13

3

$12.6 \div 0.6$	31
$15.9 \div 0.3$	53
$24.8 \div 0.8$	21

4

$13.2 \div 1.1$	18
$23.4 \div 1.3$	12
$11.4 \div 0.6$	19

5

$10.8 \div 1.2$	6
$15.4 \div 1.4$	9
$9.6 \div 1.6$	11

6

$27.9 \div 0.9$	21
$27.3 \div 1.3$	16
$12.8 \div 0.8$	31

7

$15.5 \div 0.5$	9
$13.5 \div 1.5$	25
$17.5 \div 0.7$	31

8

$23.1 \div 2.1$	11
$26.6 \div 1.9$	13
$33.8 \div 2.6$	14

월 일	분	개
학습 날짜	학습 시간	맞힌 개수

빈 곳에 알맞은 수를 써넣으세요.

9 ÷ →

48.8	0.8	
26.4	0.6	

10 ÷ →

18.2	0.7	
22.5	0.9	

11 ÷ →

23.8	1.4	
20.9	1.9	

12 ÷ →

27.6	1.2	
39.9	2.1	

13 ÷ →

15.4	1.1	
43.5	1.5	

14 ÷ →

16.1	2.3	
58.9	3.1	

15 ÷ →

31.2	2.6	
43.2	4.8	

16 ÷ →

105.6	3.2	
142.5	5.7	

정확성 up!

원리 ❷ (소수 두 자리 수)÷(소수 두 자리 수)

원리 동영상 강의

○ (소수 두 자리 수)÷(소수 두 자리 수)를 세로로 계산하기

나누는 수와 나누어지는 수의 소수점을 각각 오른쪽으로 두 자리씩 옮겨서 계산합니다.

예 1.32÷0.12의 계산

```
          1 1
     ┌──────
0.1 2)1.3 2
      1 2
     ────
        1 2
        1 2
     ────
          0
```

조심이

나누는 수의 소수점과 나누어지는 수의 소수점을 똑같이 옮겨서 계산해야 돼!

:: 계산을 하세요.

1 0.32)0.96

2 0.15)1.65

3 0.24)2.88

4 0.17)0.85

5 0.21)3.15

6 0.19)3.04

7 0.28)0.84

8 0.38)5.32

9 0.53)5.83

10 $0.33\overline{)0.99}$

11 $0.14\overline{)1.12}$

12 $0.26\overline{)4.42}$

13 $0.42\overline{)5.88}$

14 $0.62\overline{)9.92}$

15 $0.71\overline{)2.13}$

16 $0.27\overline{)2.43}$

17 $0.34\overline{)6.46}$

18 $0.55\overline{)8.25}$

19 $0.48\overline{)7.68}$

20 $0.39\overline{)2.34}$

21 $0.43\overline{)3.44}$

22 $0.25\overline{)3.25}$

23 $0.51\overline{)6.12}$

24 $0.55\overline{)8.25}$

연습

❷ (소수 두 자리 수)÷(소수 두 자리 수)

계산을 하세요.

1 $0.09\overline{)1.17}$

2 $0.12\overline{)0.48}$

3 $0.15\overline{)1.05}$

4 $0.42\overline{)2.52}$

5 $0.24\overline{)3.12}$

6 $0.36\overline{)4.32}$

7 $0.36\overline{)5.04}$

8 $0.27\overline{)5.67}$

9 $0.35\overline{)3.85}$

10 $0.44\overline{)7.48}$

11 $0.51\overline{)6.63}$

12 $0.72\overline{)15.84}$

13 $1.05 \div 0.07$

14 $1.56 \div 0.13$

15 $2.25 \div 0.25$

16 $3.78 \div 0.54$

17 $6.37 \div 0.49$

18 $8.68 \div 0.62$

19 $6.84 \div 1.14$

20 $11.25 \div 1.25$

21 $16.32 \div 2.04$

22 $17.22 \div 1.23$

23 $34.76 \div 3.16$

24 $55.51 \div 4.27$

정확성 up!

실력 up

25 넓이가 24.15 cm^2인 직사각형이 있습니다. 이 직사각형의 세로가 3.45 cm일 때 가로는 몇 cm일까요?

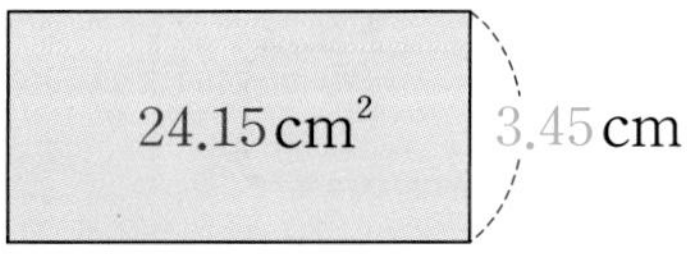

$24.15 \div 3.45 = \square$

답 ______

적용

❷ (소수 두 자리 수)÷(소수 두 자리 수)

빈 곳에 알맞은 수를 써넣으세요.

1 1.28 → ÷0.16 → ☐

2 0.92 → ÷0.23 → ☐

3 3.15 → ÷0.35 → ☐

4 2.46 → ÷0.41 → ☐

5 2.34 → ÷0.18 → ☐

6 8.64 → ÷0.72 → ☐

7 9.04 → ÷1.13 → ☐

8 27.72 → ÷1.98 → ☐

정확성 up!

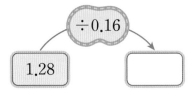

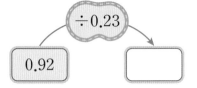

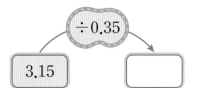

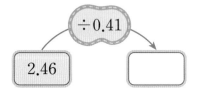

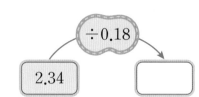

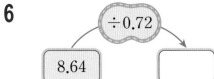

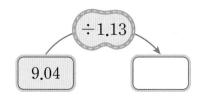

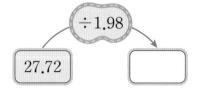

□ 안에 알맞은 수를 써넣으세요.

9 6.72 → $\div 0.84$ → □

10 7.11 → $\div 0.79$ → □

11 6.33 → $\div 2.11$ → □

12 9.87 → $\div 1.41$ → □

13 10.35 → $\div 1.15$ → □

14 25.38 → $\div 2.82$ → □

15 45.65 → $\div 4.15$ → □

16 90.44 → $\div 5.32$ → □

정확성 up!

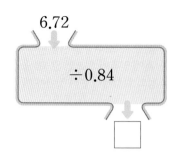

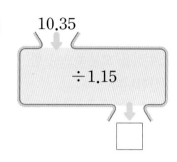

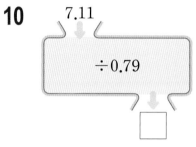

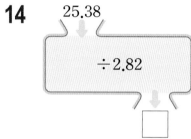

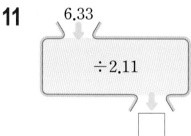

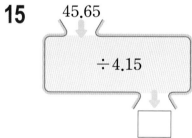

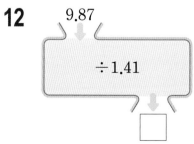

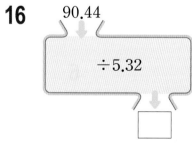

❸ (소수 두 자리 수)÷(소수 한 자리 수)

원리 동영상 강의

● (소수 두 자리 수)÷(소수 한 자리 수)를 세로로 계산하기

나누는 수와 나누어지는 수의 소수점을 오른쪽으로 두 자리씩 옮겨서 (자연수)÷(자연수)로 계산하거나 소수점을 오른쪽으로 한 자리씩 옮겨서 (소수 한 자리 수)÷(자연수)로 계산합니다.

예 3.75÷1.5의 계산 → 1.5의 소수점을 오른쪽으로 두 자리 옮겼으므로 수의 오른쪽 끝에 0이 있는 것으로 생각해요.

```
          2.5                    2.5
1.50)3.750               1.5)3.75
     300                     30
      750                     75
      750                     75
        0                      0
```

조심이

몫을 쓸 때 소수점을 처음 나누어지는 수에 맞추어 찍으면 안 돼! 옮긴 소수점의 위치에서 올려 찍어야 해.

```
    0.25
1.5)3.75
    30
     75
     75
      0
```

계산을 하세요.

1 $0.40\overline{)2.520}$

2 $1.8\overline{)3.78}$

3 $1.2\overline{)2.76}$

4 $2.5\overline{)3.25}$

5 $4.2\overline{)7.14}$

6 $3.4\overline{)6.46}$

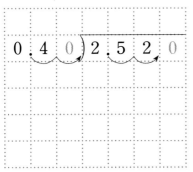

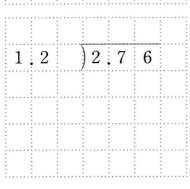

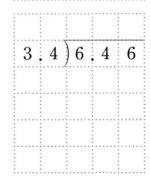

7 $0.6\overline{)1.02}$

8 $1.3\overline{)3.25}$

9 $1.7\overline{)5.95}$

10 $2.1\overline{)3.36}$

11 $2.4\overline{)8.16}$

12 $3.2\overline{)6.08}$

13 $3.6\overline{)8.64}$

14 $2.5\overline{)4.25}$

15 $1.6\overline{)3.36}$

16 $2.8\overline{)5.04}$

17 $3.5\overline{)6.65}$

18 $4.5\overline{)7.65}$

연습 ③ (소수 두 자리 수)÷(소수 한 자리 수)

계산을 하세요.

1 $0.8\overline{)1.28}$

2 $1.6\overline{)3.52}$

3 $1.2\overline{)2.28}$

4 $1.9\overline{)1.71}$

5 $2.3\overline{)5.29}$

6 $2.5\overline{)8.75}$

7 $2.8\overline{)3.36}$

8 $3.1\overline{)7.75}$

9 $3.3\overline{)30.36}$

10 $3.5\overline{)35.35}$

11 $4.8\overline{)38.88}$

12 $6.2\overline{)48.98}$

13 $7.75 \div 0.5$

14 $15.98 \div 1.7$

15 $11.22 \div 2.2$

16 $19.24 \div 2.6$

17 $20.74 \div 3.4$

18 $20.88 \div 2.9$

19 $36.26 \div 3.7$

20 $43.05 \div 4.1$

21 $51.06 \div 4.6$

22 $54.45 \div 5.5$

23 $46.48 \div 8.3$

24 $48.36 \div 7.8$

정확성 up!

실력 up

25 넓이가 $80.75\ cm^2$인 평행사변형이 있습니다. 이 평행사변형의 높이가 9.5 cm일 때 밑변의 길이는 몇 cm일까요?

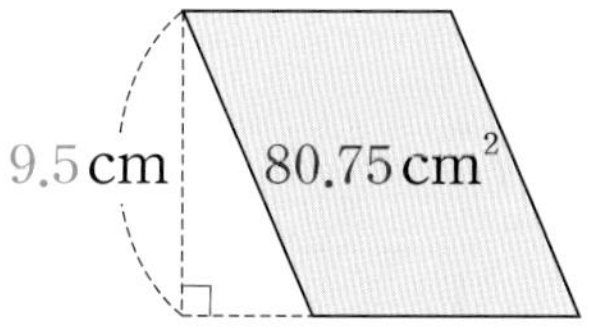

$80.75 \div 9.5 = \square$

답 ______

적용 ❸ (소수 두 자리 수)÷(소수 한 자리 수)

빈 곳에 알맞은 수를 써넣으세요.

1 4.05 → ÷0.9 → ☐

2 9.68 → ÷1.1 → ☐

3 9.12 → ÷1.6 → ☐

4 3.12 → ÷2.4 → ☐

5 5.06 → ÷2.3 → ☐

6 16.25 → ÷2.5 → ☐

7 10.56 → ÷3.2 → ☐

8 18.87 → ÷3.7 → ☐

정확성 up!

빈 곳에 알맞은 수를 써넣으세요.

9 $\div 2.8$

7.84	
8.68	

10 $\div 1.9$

4.75	
7.98	

11 $\div 3.5$

5.95	
12.25	

12 $\div 4.4$

14.08	
25.08	

13 $\div 4.6$

29.44	
47.38	

14 $\div 5.1$

41.82	
62.22	

15 $\div 6.3$

60.48	
64.89	

16 $\div 7.8$

63.18	
87.36	

정확성 up!

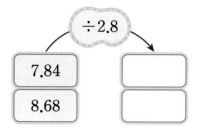

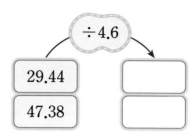

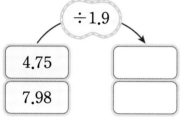

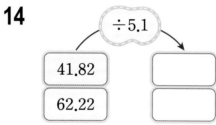

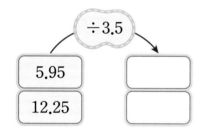

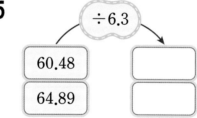

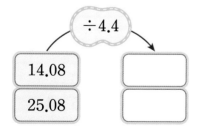

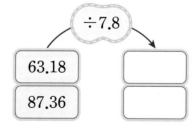

❹ (자연수)÷(소수 한 자리 수)

○ **(자연수)÷(소수 한 자리 수)를 세로로 계산하기**

나누는 수와 나누어지는 수의 소수점을 각각 오른쪽으로 한 자리씩 옮겨서 계산합니다.

例 9÷1.8의 계산

→ 9=9.0=9.00……과 같아요.

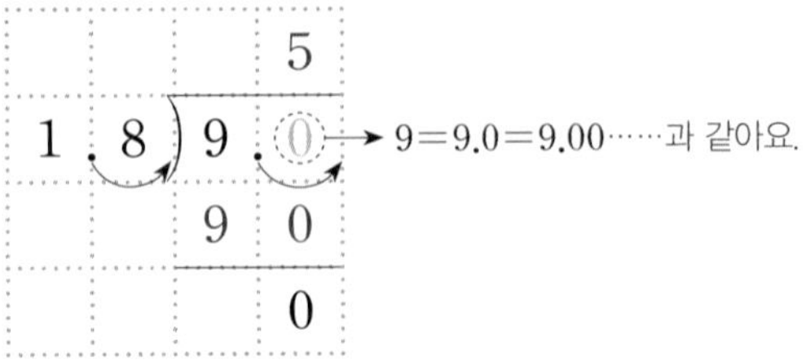

조심이

몫을 쓸 때 소수점을 처음 나누어지는 수에 맞추어 찍지 않도록 주의해!

:: **계산을 하세요.**

1
```
0.5)3
```

2
```
0.8)4
```

3
```
0.4)6
```

4
```
1.5)1 2
```

5
```
2.5)1 5
```

6
```
1.4)2 1
```

7
```
1.6)2 4
```

8
```
2.4)3 6
```

9
```
1.5)5 4
```

10 $1.5\overline{)9}$

11 $1.4\overline{)7}$

12 $2.2\overline{)55}$

13 $3.4\overline{)51}$

14 $2.5\overline{)85}$

15 $3.2\overline{)16}$

16 $3.5\overline{)14}$

17 $4.4\overline{)66}$

18 $6.5\overline{)91}$

19 $1.8\overline{)27}$

20 $2.6\overline{)13}$

21 $4.6\overline{)23}$

22 $3.6\overline{)90}$

23 $2.5\overline{)40}$

24 $6.2\overline{)93}$

연습 ❹ (자연수)÷(소수 한 자리 수)

계산을 하세요.

1 $1.2\overline{)6}$

2 $1.5\overline{)12}$

3 $2.8\overline{)14}$

4 $6.5\overline{)52}$

5 $5.8\overline{)29}$

6 $7.5\overline{)30}$

7 $2.6\overline{)39}$

8 $1.6\overline{)24}$

9 $3.5\overline{)42}$

10 $4.5\overline{)72}$

11 $6.4\overline{)96}$

12 $6.5\overline{)169}$

월 일	분	개
학습 날짜	학습 시간	맞힌 개수

13 $28 \div 3.5$

14 $52 \div 6.5$

15 $48 \div 9.6$

16 $33 \div 6.6$

17 $76 \div 9.5$

18 $36 \div 2.4$

19 $54 \div 1.2$

20 $60 \div 2.4$

21 $85 \div 3.4$

22 $84 \div 4.2$

23 $76 \div 3.8$

24 $106 \div 5.3$

정확성 up!

실력 up

25 밀가루 66 kg이 있습니다. 밀가루를 한 사람에게 4.4 kg씩 나누어 주면 모두 몇 명에게 줄 수 있을까요?

$66 \div 4.4 = \square$

답 ________

❹ (자연수)÷(소수 한 자리 수)

정확성 up!

∷ 빈 곳에 알맞은 수를 써넣으세요.

1

40	÷1.6	

2

33	÷2.2	

3

28	÷3.5	

4

30	÷1.2	

5

66	÷1.5	

6

63	÷1.8	

7

140	÷5.6	

8

104	÷6.5	

정답 ➔ 15쪽

월 일	분	개
학습 날짜	학습 시간	맞힌 개수

자연수를 소수로 나눈 몫을 빈 곳에 써넣으세요.

9

81	5.4

10

7.8	39

11

2.4	84

12

99	4.5

13

3.2	48

14

132	8.8

15

3.3	165

16

152	9.5

정확성 up!

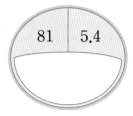

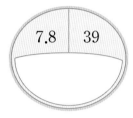

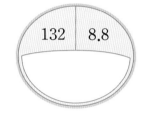

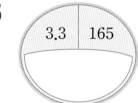

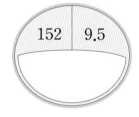

❺ (자연수)÷(소수 두 자리 수)

◎ (자연수)÷(소수 두 자리 수)를 세로로 계산하기

나누는 수와 나누어지는 수의 소수점을 각각 오른쪽으로 두 자리씩 옮겨서 계산합니다.

예 $4 \div 0.25$의 계산

				1	6
0	.2	5)	4	.0	0
			2	5	
			1	5	0
			1	5	0
					0

→ 끝자리에 0이 있는 것으로 생각하여 소수점을 옮겨요.

뿡뿡이

(자연수)÷(소수)에서 나누는 수와 나누어지는 수의 소수점을 옮기는 이유는 소수인 나누는 수를 자연수로 만들어 (자연수)÷(자연수)로 계산하는 방법이 더 간단하기 때문이야.

계산을 하세요.

1 $0.12\overline{)6}$

2 $0.25\overline{)12}$

3 $0.72\overline{)18}$

4 $0.75\overline{)15}$

5 $0.52\overline{)13}$

6 $0.75\overline{)12}$

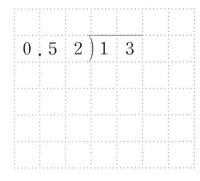

7 $0.75\overline{)6}$

8 $1.75\overline{)7}$

9 $1.25\overline{)30}$

10 $0.48\overline{)36}$

11 $1.68\overline{)42}$

12 $0.85\overline{)34}$

13 $2.25\overline{)18}$

14 $1.36\overline{)34}$

15 $1.88\overline{)47}$

16 $2.25\overline{)99}$

연습 ❺ (자연수)÷(소수 두 자리 수)

⁘ 계산을 하세요.

1 $0.75\overline{)\,30}$

2 $0.25\overline{)\,15}$

3 $0.56\overline{)\,14}$

4 $0.84\overline{)\,63}$

5 $1.75\overline{)\,77}$

6 $1.25\overline{)\,60}$

7 $1.15\overline{)\,46}$

8 $1.75\overline{)\,42}$

9 $2.25\overline{)\,63}$

10 $2.24\overline{)\,56}$

11 $3.48\overline{)\,87}$

12 $2.42\overline{)\,121}$

13 $42 \div 1.68$

14 $35 \div 1.25$

15 $43 \div 1.72$

16 $49 \div 2.45$

17 $57 \div 2.28$

18 $64 \div 2.56$

19 $81 \div 1.35$

20 $93 \div 1.24$

21 $66 \div 2.75$

22 $105 \div 5.25$

23 $174 \div 2.32$

24 $210 \div 3.75$

정확성 up!

실력 up

25 물 85 L가 있습니다. 물을 물통 한 개에 4.25 L씩 담으려면 물통 몇 개가 필요할까요?

$85 \div 4.25 = \square$

답

적용 ❺ (자연수)÷(소수 두 자리 수)

∷ 자연수를 소수로 나눈 몫을 빈 곳에 써넣으세요.

1 13, 3.25 → ( )

2 0.28, 21 → ( )

3 54, 1.35 → ( )

4 0.96, 72 → ( )

5 2.25, 27 → ( )

6 68, 0.85 → ( )

7 1.24, 31 → ( )

8 69, 1.15 → ( )

정확성 up!

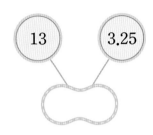

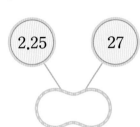

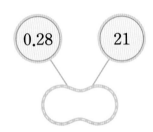

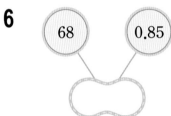

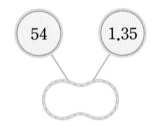

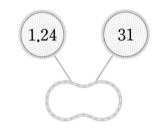

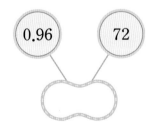

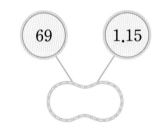

:: 자연수를 소수로 나눈 몫을 빈 곳에 써넣으세요.

9

31	
0.62	

10

1.68	
42	

11

1.45	
58	

12

77	
2.75	

13

1.36	
68	

14

36	
2.25	

15

2.88	
72	

16

108	
1.44	

정확성 up!

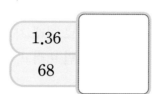

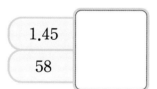

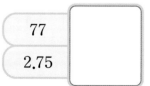

원리 동영상 강의

원리 ❻ 몫을 반올림하여 나타내기

몫을 반올림하여 나타내기

몫을 반올림하여 나타낼 때는 구하려는 자리의 바로 아래 자리까지 몫을 구한 후 바로 아래 자리의 숫자가 0, 1, 2, 3, 4이면 버리고, 5, 6, 7, 8, 9이면 올려서 나타냅니다.

예 $5 \div 7$의 몫을 반올림하여 나타내기

$$\begin{array}{r} 0.71 \\ 7\overline{)5.00} \\ \underline{49} \\ 10 \\ \underline{7} \\ 3 \end{array}$$

• 자연수로 나타내기

$5 \div 7 = 0.7 \cdots\cdots$ ➡ 1

↳ 소수 첫째 자리 숫자가 7이므로 올려요.

• 소수 첫째 자리까지 나타내기

$5 \div 7 = 0.71 \cdots\cdots$ ➡ 0.7

↳ 소수 둘째 자리 숫자가 1이므로 버려요.

뿡뿡이

몫을 반올림하여 나타내려면 구하려는 자리의 바로 아래 자리에서 반올림하면 돼.

• 바로 아래 자리의 숫자가 0, 1, 2, 3, 4 ➡ 버림

• 바로 아래 자리의 숫자가 5, 6, 7, 8, 9 ➡ 올림

몫을 반올림하여 자연수로 나타내세요.

1 $8\overline{)9}$ ➡ □

2 $6\overline{)11}$ ➡ □

3 $0.8\overline{)6.9}$ ➡ □

몫을 반올림하여 소수 첫째 자리까지 나타내세요.

4 $3\overline{)11}$ ➡ □

5 $1.1\overline{)7.5}$ ➡ □

몫을 반올림하여 소수 둘째 자리까지 나타내세요.

6

$6 \overline{)\,2\,2}$ → □

7

$0.9 \overline{)\,3.1}$ → □

8

$1.4 \overline{)\,4.6}$ → □

몫을 반올림하여 소수 셋째 자리까지 나타내세요.

9

$7 \overline{)\,1\,7}$ → □

10

$6 \overline{)\,4\,9}$ → □

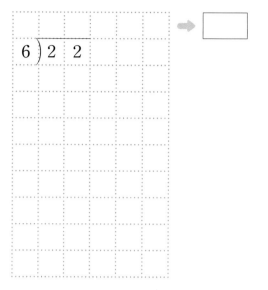

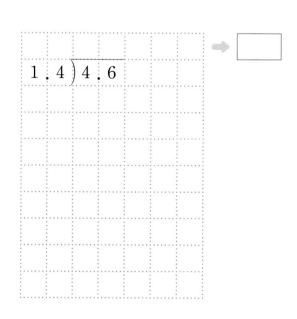

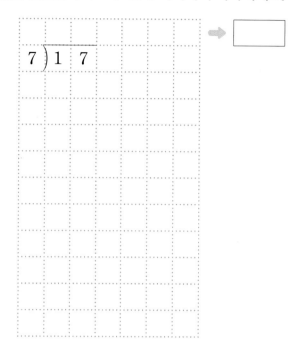

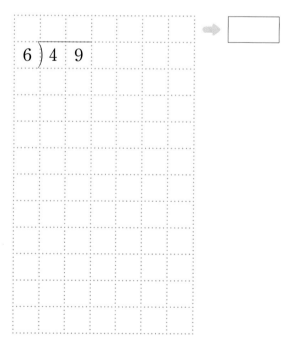

연습

❻ 몫을 반올림하여 나타내기

몫을 반올림하여 자연수로 나타내세요.

1 $7\overline{)22}$ ➡ (　　　　　　)

2 $3\overline{)29}$ ➡ (　　　　　　)

3 $0.6\overline{)5.3}$ ➡ (　　　　　　)

4 $0.8\overline{)3.7}$ ➡ (　　　　　　)

5 $0.14\overline{)1.28}$ ➡ (　　　　　　)

몫을 반올림하여 소수 첫째 자리까지 나타내세요.

6 $9\overline{)12}$ ➡ (　　　　　　)

7 $7\overline{)58}$ ➡ (　　　　　　)

8 $0.6\overline{)5.6}$ ➡ (　　　　　　)

9 $1.1\overline{)4.6}$ ➡ (　　　　　　)

10 $0.22\overline{)0.54}$ ➡ (　　　　　　)

몫을 반올림하여 소수 둘째 자리까지 나타내세요.

11 $16 \div 6$

→ (　　　　　)

12 $38 \div 9$

→ (　　　　　)

13 $8.7 \div 0.7$

→ (　　　　　)

14 $9.15 \div 0.13$

→ (　　　　　)

15 $1.25 \div 0.3$

→ (　　　　　)

몫을 반올림하여 소수 셋째 자리까지 나타내세요.

16 $43 \div 3$

→ (　　　　　)

17 $76 \div 7$

→ (　　　　　)

18 $5.2 \div 0.6$

→ (　　　　　)

19 $1.27 \div 0.21$

→ (　　　　　)

20 $6.07 \div 1.5$

→ (　　　　　)

정확성 up!

실력 up

21 윤우네 집에서부터 박물관까지 거리는 5.5 km이고, 도서관까지 거리는 1.4 km입니다. 윤우네 집에서부터 박물관까지 거리는 도서관까지 거리의 몇 배인지 반올림하여 소수 둘째 자리까지 나타내세요.

$5.5 \div 1.4 =$ □ ······ → □

답 ____________

적용

❻ 몫을 반올림하여 나타내기

몫을 반올림하여 자연수로 나타내세요.

1 32 → $\div 6$ → □

2 47 → $\div 7$ → □

3 3.2 → $\div 0.7$ → □

4 1.03 → $\div 0.29$ → □

몫을 반올림하여 소수 첫째 자리까지 나타내세요.

5 3 → $\div 9$ → □

6 34 → $\div 11$ → □

7 6.4 → $\div 0.6$ → □

8 2.24 → $\div 0.15$ → □

정확성 up!

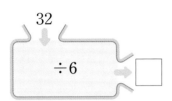

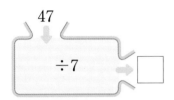

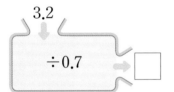

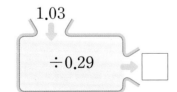

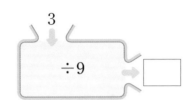

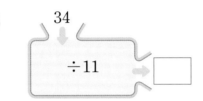

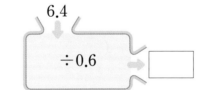

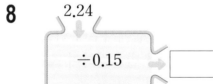

몫을 반올림하여 소수 둘째 자리까지 나타내세요.

9 28 → $\div 3$ → □

10 52 → $\div 7$ → □

11 3.5 → $\div 0.9$ → □

12 1.67 → $\div 0.35$ → □

몫을 반올림하여 소수 셋째 자리까지 나타내세요.

13 44 → $\div 9$ → □

14 25 → $\div 3$ → □

15 9.4 → $\div 1.2$ → □

16 4.55 → $\div 0.33$ → □

정확성 up!

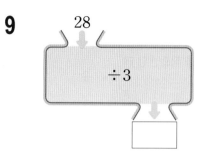

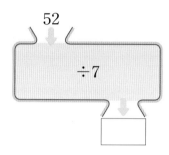

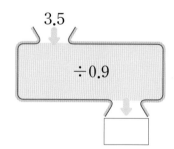

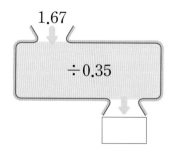

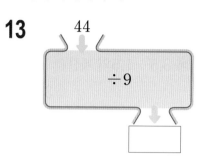

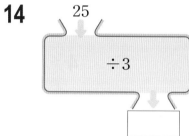

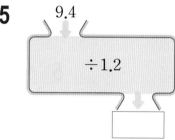

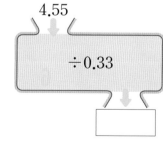

❼ 몫을 자연수 부분까지 구하고 나머지 구하기

원리 동영상 강의

● 몫을 자연수 부분까지 구하고 나머지 구하기

몫을 자연수 부분까지 구하고 나머지를 구할 때 나머지의 소수점은 처음 나누어지는 수의 소수점 위치에 맞추어 찍습니다.

예 8.4÷5의 계산

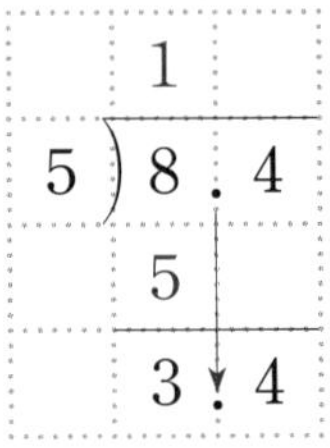

8.4÷5
=1 ··· 3.4
몫: 1
나머지: 3.4

예 3.5÷1.5의 계산

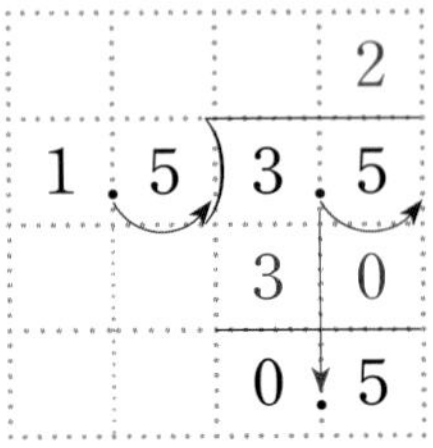

3.5÷1.5
=2 ··· 0.5
몫: 2
나머지: 0.5

조심이

소수의 나눗셈에서 나머지를 구할 때 옮긴 소수점 위치에 맞추어 소수점을 찍으면 안 돼!

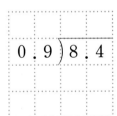

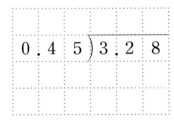

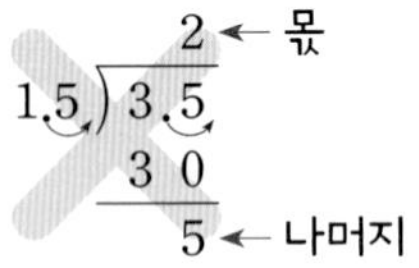

몫을 자연수 부분까지 구하고 나머지를 구하세요.

1 4)6.5

몫: ☐, 나머지: ☐

2 3)7.3

몫: ☐, 나머지: ☐

3 5)15.2

몫: ☐, 나머지: ☐

4 1.2)4.3

몫: ☐, 나머지: ☐

5 0.9)8.4

몫: ☐, 나머지: ☐

6 0.45)3.28

몫: ☐, 나머지: ☐

7

$3\overline{)8.4}$

몫: ☐, 나머지: ☐

8

$4\overline{)10.6}$

몫: ☐, 나머지: ☐

9

$7\overline{)29.5}$

몫: ☐, 나머지: ☐

10

$0.6\overline{)4.1}$

몫: ☐, 나머지: ☐

11

$0.9\overline{)7.9}$

몫: ☐, 나머지: ☐

12

$1.1\overline{)9.6}$

몫: ☐, 나머지: ☐

13

$0.26\overline{)1.99}$

몫: ☐, 나머지: ☐

14

$1.05\overline{)5.38}$

몫: ☐, 나머지: ☐

15

$2.14\overline{)7.15}$

몫: ☐, 나머지: ☐

16

$0.5\overline{)3.77}$

몫: ☐, 나머지: ☐

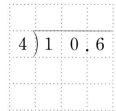

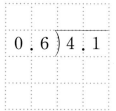

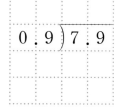

연습 ❼ 몫을 자연수 부분까지 구하고 나머지 구하기

몫을 자연수 부분까지 구하고 나머지를 구하세요.

1 $2\overline{)5.3}$

2 $4\overline{)9.1}$

3 $6\overline{)8.6}$

4 $7\overline{)30.8}$

5 $9\overline{)56.5}$

6 $11\overline{)70.4}$

7 $0.8\overline{)4.2}$

8 $1.3\overline{)2.9}$

9 $1.5\overline{)5.8}$

10 $0.16\overline{)8.18}$

11 $0.59\overline{)4.31}$

12 $2.2\overline{)6.74}$

13 8.5÷3

14 22.2÷5

15 45.7÷8

16 63.4÷9

17 17.9÷0.7

18 21.4÷1.3

19 34.7÷1.2

20 3.68÷0.21

21 3.64÷1.15

22 4.58÷2.21

23 4.25÷1.4

24 5.43÷2.5

정확성 up!

실력 up

25 상자 하나를 묶는 데 리본 0.6 m가 필요합니다. 똑같은 모양의 상자를 리본으로 묶을 때, 리본 25.3 m로 묶을 수 있는 상자는 몇 상자이고 남는 리본은 몇 m인지 구하세요.

25.3÷0.6=☐ ⋯ ☐

답 ______ , ______

❼ 몫을 자연수 부분까지 구하고 나머지 구하기

몫을 자연수 부분까지 구하여 □ 안에 써넣고 나머지를 구하여 ○ 안에 써넣으세요.

정확성 up!

1 ÷ 29.6 | 4 | □ ○

2 ÷ 36.5 | 7 | □ ○

3 ÷ 65.3 | 9 | □ ○

4 ÷ 57.4 | 8 | □ ○

5 ÷ 6.8 | 0.8 | □ ○

6 ÷ 15.2 | 1.2 | □ ○

7 ÷ 4.51 | 0.23 | □ ○

8 ÷ 19.13 | 1.47 | □ ○

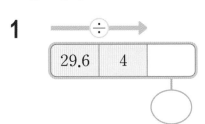

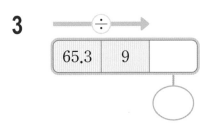

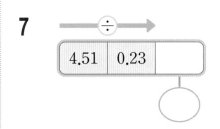

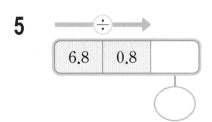

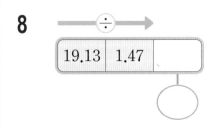

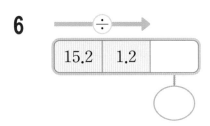

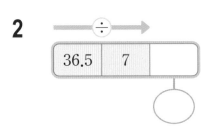

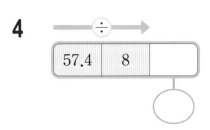

몫을 자연수 부분까지 구하여 □ 안에 써넣고 나머지를 구하여 ⬠ 안에 써넣으세요.

9 25.4 ÷ 3 → □, ⬠

10 50.3 ÷ 8 → □, ⬠

11 7.5 ÷ 1.6 → □, ⬠

12 16.7 ÷ 1.8 → □, ⬠

13 44.6 ÷ 2.8 → □, ⬠

14 2.09 ÷ 0.13 → □, ⬠

15 8.18 ÷ 1.35 → □, ⬠

16 20.36 ÷ 2.54 → □, ⬠

정확성 up!

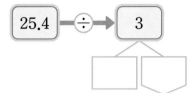

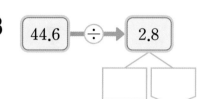

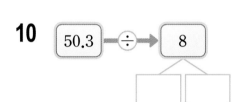

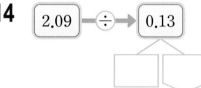

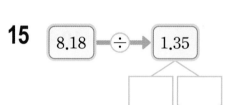

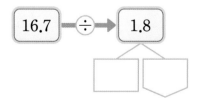

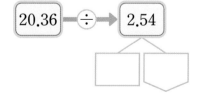

평가 2. 소수의 나눗셈

계산을 하세요.

1 $0.7\overline{)63.7}$

2 $1.5\overline{)49.5}$

3 $0.14\overline{)1.82}$

4 $1.21\overline{)14.52}$

5 $1.6\overline{)2.72}$

6 $3.5\overline{)12.95}$

7 $0.8\overline{)36}$

8 $2.6\overline{)39}$

9 $3.5\overline{)84}$

10 $0.28\overline{)21}$

11 $1.52\overline{)38}$

12 $2.24\overline{)56}$

13 $2.7 \div 0.3$

14 $33.6 \div 4.2$

15 $2.75 \div 0.25$

16 $9.94 \div 1.42$

17 $3.12 \div 0.6$

18 $7.92 \div 3.3$

19 $30 \div 0.4$

20 $45 \div 1.25$

몫을 반올림하여 자연수로 나타내세요.

21 $25 \div 6$

➡ (　　　　　　)

22 $8.1 \div 1.3$

➡ (　　　　　　)

23 $11.56 \div 2.24$

➡ (　　　　　　)

몫을 반올림하여 소수 첫째 자리까지 나타내세요.

24 $81 \div 7$

➡ (　　　　　　)

25 $9.6 \div 1.4$

➡ (　　　　　　)

26 $14.06 \div 1.24$

➡ (　　　　　　)

몫을 자연수 부분까지 구하고 나머지를 구하세요.

27 $11.7 \div 3$

28 $6.22 \div 0.45$

정답 ➡ 19쪽

나눗셈의 몫을 찾아 이으세요.

29

3.6÷0.3 •	• 9
7.5÷0.5 •	• 12
12.6÷1.4 •	• 15

30

6.08÷1.52 •	• 8
6.88÷0.86 •	• 6
8.28÷1.38 •	• 4

빈 곳에 알맞은 수를 써넣으세요.

31 4.48 → ÷2.8 → ☐

32 5.78 → ÷1.7 → ☐

자연수를 소수로 나눈 몫을 빈 곳에 써넣으세요.

33

52	0.4

34

0.76	57

35 몫을 반올림하여 소수 둘째 자리까지 나타내세요.

62 → ÷9 → ☐

36 몫을 자연수 부분까지 구하여 ☐ 안에 써넣고 나머지를 구하여 ○ 안에 써넣으세요.

÷

60.6	7	☐

○

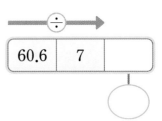

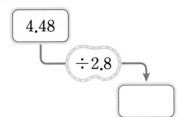

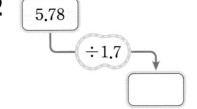

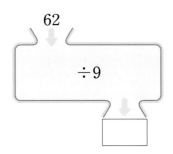

3 비례식과 비례배분

학습 계획표

학습 내용	원리	연습
❶ 비의 성질	Day **45**	Day **46**
❷ 간단한 자연수의 비로 나타내기	Day **47**	Day **48**
❸ 비례식의 성질	Day **49**	Day **50**
❹ 비례배분	Day **51**	Day **52**
적용	Day **53**	
평가	Day **54**	

학습 관리 **tip** 맨 앞장의 학습 플래너를 이용하여 학습 스케줄을 관리하도록 하세요!

원리 ❶ 비의 성질

원리 동영상 강의

◎ 비의 성질 알아보기

• 비의 전항과 후항에 0이 아닌 같은 수를 곱하여도 비율은 같습니다.

$$\text{예 } 2 : 3 = 6 : 9$$

$\times 3$

$\times 3$

• 비의 전항과 후항을 0이 아닌 같은 수로 나누어도 비율은 같습니다.

$$\text{예 } 6 : 8 = 3 : 4$$

$\div 2$

$\div 2$

> **뿜뿜이**
>
> 비율이 같은 두 비를 기호 '='를 사용하여 2 : 3 = 6 : 9와 같이 나타낸 식을 비례식이라고 해.
> 비 2 : 3과 6 : 9에서 기호 ':' 앞에 있는 2와 6은 전항, 뒤에 있는 3과 9는 후항이야.

⁛ 비의 성질을 이용하여 ☐ 안에 알맞은 수를 써넣으세요.

1 $3 : 4 = 6 : \boxed{}$ ($\times 2$, $\times \boxed{}$)

2 $5 : 2 = 15 : \boxed{}$ ($\times 3$, $\times \boxed{}$)

3 $4 : 5 = 36 : \boxed{}$ ($\times 9$, $\times \boxed{}$)

4 $7 : 8 = 21 : \boxed{}$ ($\times 3$, $\times \boxed{}$)

5 $4 : 7 = \boxed{} : 35$ ($\times \boxed{}$, $\times 5$)

6 $3 : 5 = \boxed{} : 20$ ($\times \boxed{}$, $\times 4$)

7 $5 : 6 = \boxed{} : 12$ ($\times \boxed{}$, $\times 2$)

8 $8 : 9 = \boxed{} : 27$ ($\times \boxed{}$, $\times 3$)

$$\div 5$$
$$10 : 25 = 2 : \boxed{}$$
$$\div \boxed{}$$

10
$$\div 3$$
$$12 : 9 = 4 : \boxed{}$$
$$\div \boxed{}$$

11
$$\div 4$$
$$24 : 20 = 6 : \boxed{}$$
$$\div \boxed{}$$

12
$$\div 7$$
$$28 : 35 = 4 : \boxed{}$$
$$\div \boxed{}$$

13
$$\div 6$$
$$36 : 42 = 6 : \boxed{}$$
$$\div \boxed{}$$

14
$$\div 3$$
$$15 : 24 = 5 : \boxed{}$$
$$\div \boxed{}$$

15
$$\div \boxed{}$$
$$8 : 4 = \boxed{} : 1$$
$$\div 4$$

16
$$\div \boxed{}$$
$$56 : 32 = \boxed{} : 4$$
$$\div 8$$

17
$$\div \boxed{}$$
$$63 : 14 = \boxed{} : 2$$
$$\div 7$$

18
$$\div \boxed{}$$
$$25 : 40 = \boxed{} : 8$$
$$\div 5$$

19
$$\div \boxed{}$$
$$27 : 45 = \boxed{} : 5$$
$$\div 9$$

20
$$\div \boxed{}$$
$$18 : 22 = \boxed{} : 11$$

연습 ❶ 비의 성질

비의 성질을 이용하여 □ 안에 알맞은 수를 써넣으세요.

1 $2:3=12:\square$

2 $3:5=6:\square$

3 $6:7=18:\square$

4 $5:4=25:\square$

5 $2:9=14:\square$

6 $8:3=32:\square$

7 $5:6=40:\square$

8 $9:5=54:\square$

9 $7:8=\square:56$

10 $6:11=\square:55$

11 $3:10=\square:50$

12 $7:2=\square:12$

13 $4:9=\square:81$

14 $10:11=\square:44$

15 $8:15=\square:45$

16 $7:12=\square:60$

17 8 : 28=2 : □

18 5 : 45=1 : □

19 14 : 49=2 : □

20 32 : 24=8 : □

21 24 : 40=6 : □

22 27 : 36=9 : □

23 56 : 32=14 : □

24 30 : 35=6 : □

25 15 : 18=□ : 6

26 33 : 77=□ : 7

27 48 : 60=□ : 10

28 60 : 50=□ : 5

29 63 : 99=□ : 11

30 65 : 40=□ : 8

실력 up

31 한 상자에 담은 노란 구슬과 파란 구슬 수의 비가 10 : 7입니다. 파란 구슬이 63개이면 노란 구슬은 몇 개일까요?

10 : 7=□ : 63

답 ______

원리 ❷ 간단한 자연수의 비로 나타내기

원리 동영상 강의

◎ 간단한 자연수의 비로 나타내기

• 소수의 비를 간단한 자연수의 비로 나타낼 때는 전항과 후항에 소수의 자릿수에 따라 각각 10, 100……을 곱합니다.

예
$$\overset{\times 10}{0.3 : 0.4 = 3 : 4}\underset{\times 10}{}$$

• 분수의 비를 간단한 자연수의 비로 나타낼 때는 전항과 후항에 각각 두 분모의 공배수를 곱합니다.

예
$$\overset{\times 10}{\frac{1}{2} : \frac{1}{5} = 5 : 2}\underset{\times 10}{}$$

• 자연수의 비를 간단한 자연수의 비로 나타낼 때는 전항과 후항을 각각 두 자연수의 공약수로 나눕니다.

예
$$\overset{\div 10}{50 : 70 = 5 : 7}\underset{\div 10}{}$$

• 소수와 분수의 비는 소수를 분수로 나타내거나 분수를 소수로 나타낸 다음 간단한 자연수의 비로 나타냅니다.

예 $0.3 : \frac{1}{5} = 0.3 : 0.2$
$= 3 : 2$

뿡뿡이

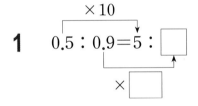

가장 간단한 자연수의 비로 나타내려면 간단한 자연수의 비로 나타낸 다음 각 항을 두 수의 최대공약수로 나누면 돼!

$$\overset{\times 100}{0.15 : 0.6 = 15 : 60}\underset{\times 100}{}$$

$$\overset{\div 15}{15 : 60 = 1 : 4}\underset{\div 15}{}$$

✿✿ 간단한 자연수의 비로 나타내려고 합니다. ☐ 안에 알맞은 수를 써넣으세요.

1 $\overset{\times 10}{0.5 : 0.9 = 5 : \boxed{}}$
$\times \boxed{}$

2 $\overset{\times 100}{0.31 : 0.7 = 31 : \boxed{}}$
$\times \boxed{}$

3 $\overset{\times \boxed{}}{1.1 : 0.8 = \boxed{} : 8}$
$\times 10$

4 $\overset{\times \boxed{}}{0.69 : 2.53 = \boxed{} : 253}$
$\times 100$

5 $\overset{\times 28}{\frac{1}{4} : \frac{1}{7} = 7 : \boxed{}}$
$\times \boxed{}$

6 $\overset{\times 20}{\frac{2}{5} : \frac{3}{4} = 8 : \boxed{}}$
$\times \boxed{}$

7 $\overset{\times \boxed{}}{\frac{2}{3} : \frac{5}{8} = \boxed{} : 15}$
$\times 24$

8 $\overset{\times \boxed{}}{\frac{3}{7} : \frac{2}{9} = \boxed{} : 14}$

9 $20:30=2:\square$ (÷10, ÷$\square$)

10 $42:35=6:\square$ (÷7, ÷$\square$)

11 $72:99=8:\square$ (÷9, ÷$\square$)

12 $100:200=\square:2$ (÷$\square$, ÷100)

13 $350:500=\square:10$ (÷$\square$, ÷50)

14 $560:800=\square:10$ (÷$\square$, ÷80)

15 $0.9:\frac{2}{5}=0.9:\square$ (소수로 바꾸기)
$=9:\square$

16 $1.3:2\frac{7}{10}=1.3:\square$ (소수로 바꾸기)
$=13:\square$

17 $\frac{1}{2}:0.7=\square:0.7$ (소수로 바꾸기)
$=\square:7$

18 $1\frac{3}{25}:1.43=\square:1.43$ (소수로 바꾸기)
$=\square:143$

19 $0.4:\frac{1}{4}=\frac{\square}{10}:\frac{1}{4}=\square:5$ (분수로 바꾸기)

20 $1.7:3\frac{9}{10}=\frac{\square}{10}:\frac{39}{10}=\square:39$ (분수로 바꾸기)

21 $\frac{5}{7}:2.1=\frac{5}{7}:\frac{\square}{10}=50:\square$ (분수로 바꾸기)

22 $1\frac{1}{2}:3.1=\frac{3}{2}:\frac{\square}{10}=15:\square$ (분수로 바꾸기)

연습

❷ 간단한 자연수의 비로 나타내기

가장 간단한 자연수의 비로 나타내세요.

1 0.7 : 0.4

2 1.3 : 0.6

3 1.5 : 2.1

4 0.43 : 0.57

5 0.96 : 1.01

6 2.15 : 3.75

7 2.7 : 1.49

8 0.25 : 1.1

9 $\frac{4}{5} : \frac{1}{2}$

10 $\frac{3}{7} : \frac{2}{3}$

11 $\frac{5}{8} : \frac{2}{7}$

12 $\frac{2}{5} : \frac{7}{11}$

13 $\frac{7}{9} : \frac{4}{13}$

14 $\frac{3}{4} : \frac{1}{8}$

15 $\frac{8}{15} : \frac{3}{10}$

16 $\frac{5}{6} : \frac{4}{9}$

17 $70:80$

18 $30:48$

19 $63:81$

20 $72:99$

21 $120:530$

22 $800:300$

23 $250:400$

24 $700:770$

25 $0.4:\frac{7}{10}$

26 $2.3:\frac{4}{5}$

27 $1.1:1\frac{3}{4}$

28 $\frac{2}{5}:1.5$

29 $1\frac{2}{3}:1.3$

실력 up

30 직사각형 모양 액자의 가로와 세로의 비를 가장 간단한 자연수의 비로 나타내세요.

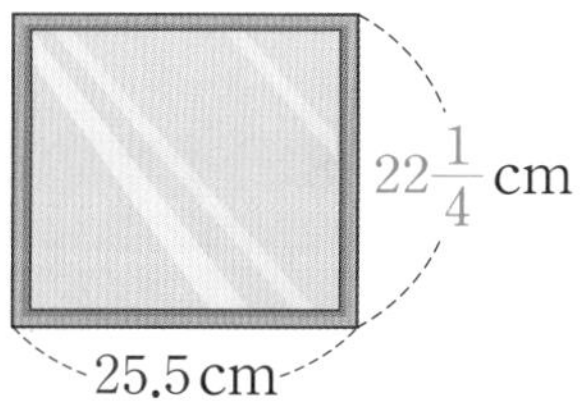

$25.5:22\frac{1}{4}=\square:\square$

답

원리 ③ 비례식의 성질

● 비례식에서 □의 값 구하기

비례식에서 외항의 곱과 내항의 곱이 같음을 이용하여 □의 값을 구합니다.

예 2 : 5=6 : □에서 □의 값 구하기

외항: 바깥쪽에 있는 두 항

2 : 5=6 : □ → 2×□=5×6 (외항의 곱, 내항의 곱)

내항: 안쪽에 있는 두 항

2×□=30

□=30÷2

□=15

뿜뿜이: 비례식에서 외항의 곱과 내항의 곱은 같다는 것을 꼭 알아야 해!

2×15=30

2 : 5=6 : 15

5×6=30

비례식의 성질을 이용하여 □ 안에 알맞은 수를 써넣으세요.

1

3×8=24

3 : 4=□ : 8

4×□=24

2

2×14=28

2 : 7=□ : 14

7×□=28

3

6×33=198

6 : 11=□ : 33

11×□=198

4

8×15=120

8 : 3=□ : 15

3×□=120

5

5×24=120

5 : □=20 : 24

□×20=120

6

4×27=108

4 : □=12 : 27

□×12=108

7

9×20=180

9 : □=36 : 20

□×36=180

8

8×12=96

8 : □=24 : 12

□×24=96

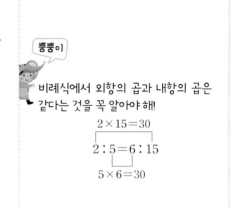

9 $6 : 3 = 18 : \square$

$6 \times \square = 54$

$3 \times 18 = 54$

10 $3 : 5 = 9 : \square$

$3 \times \square = 45$

$5 \times 9 = 45$

11 $8 : 5 = 24 : \square$

$8 \times \square = 120$

$5 \times 24 = 120$

12 $\square : 4 = 14 : 8$

$\square \times 8 = 56$

$4 \times 14 = 56$

13 $\square : 11 = 18 : 22$

$\square \times 22 = 198$

$11 \times 18 = 198$

14 $\square : 3 = 65 : 39$

$\square \times 39 = 195$

$3 \times 65 = 195$

15 $0.4 : 0.7 = \square : 14$

$0.4 \times 14 = 5.6$

$0.7 \times \square = 5.6$

16 $1.2 : 4 = 6 : \square$

$1.2 \times \square = 24$

$4 \times 6 = 24$

17 $\square : 4.5 = 20 : 45$

$\square \times 45 = 90$

$4.5 \times 20 = 90$

18 $3 : \frac{2}{5} = \square : 2$

$3 \times 2 = 6$

$\frac{2}{5} \times \square = 6$

19 $32 : \square = 8 : \frac{3}{4}$

$32 \times \frac{3}{4} = 24$

$\square \times 8 = 24$

20 $1.6 : \frac{1}{6} = 48 : \square$

$1.6 \times \square = 8$

$\frac{1}{6} \times 48 = 8$

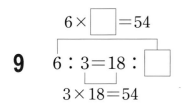

❸ 비례식의 성질

비례식의 성질을 이용하여 □ 안에 알맞은 수를 써넣으세요.

1 5 : 9 = □ : 45

2 8 : 11 = □ : 99

3 7 : 15 = □ : 45

4 12 : 13 = □ : 52

5 20 : □ = 60 : 9

6 11 : □ = 77 : 28

7 13 : □ = 78 : 48

8 25 : □ = 150 : 36

9 2 : 7 = 10 : □

10 4 : 3 = 16 : □

11 5 : 8 = 35 : □

12 9 : 2 = 27 : □

13 □ : 6 = 49 : 42

14 □ : 10 = 15 : 50

15 □ : 5 = 54 : 45

16 □ : 9 = 128 : 72

17 $20 : 9 = \square : 0.9$

18 $0.5 : 4 = \square : 32$

19 $7 : \square = 0.8 : 4$

20 $2.5 : \square = 10 : 12$

21 $1.2 : 1.1 = 36 : \square$

22 $1.8 : 4 = 2.7 : \square$

23 $\square : 0.9 = 14 : 0.7$

24 $\square : 24 = 1.5 : 12$

25 $4 : \frac{1}{3} = \square : 3$

26 $\frac{2}{5} : 6 = \square : 180$

27 $10 : \square = \frac{4}{7} : 12$

28 $2 : \frac{3}{4} = 16 : \square$

29 $\frac{5}{8} : 2 = 25 : \square$

30 $\square : 12 = \frac{1}{2} : 0.4$

실력 up

31 초등학생과 어른의 미술관 입장료의 비가 2.5 : 4입니다. 어른의 입장료가 16000원일 때 초등학생의 입장료는 얼마일까요?

$2.5 : 4 = \square : 16000$

답

원리 동영상 강의

④ 비례배분

비례배분하기

전체를 주어진 비로 배분하는 것을 비례배분이라고 합니다.

예 150을 2 : 3으로 비례배분하기

$$150\times\frac{2}{2+3}=150\times\frac{2}{5}=60$$

$$150\times\frac{3}{2+3}=150\times\frac{3}{5}=90$$

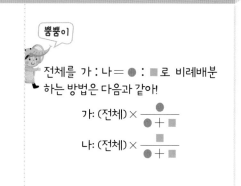

전체를 가 : 나 = ● : ■로 비례배분하는 방법은 다음과 같아!

가: (전체) × $\frac{●}{●+■}$

나: (전체) × $\frac{■}{●+■}$

:: □ 안의 수를 주어진 비로 비례배분하려고 합니다. □ 안에 알맞은 수를 써넣으세요.

1 18 | 2 : 7

$18\times\frac{2}{\square+\square}=18\times\frac{\square}{\square}=\square$

$18\times\frac{7}{\square+\square}=18\times\frac{\square}{\square}=\square$

2 20 | 3 : 7

$20\times\frac{3}{\square+\square}=20\times\frac{\square}{\square}=\square$

$20\times\frac{7}{\square+\square}=20\times\frac{\square}{\square}=\square$

3 42 | 4 : 3

$42\times\frac{4}{\square+\square}=42\times\frac{\square}{\square}=\square$

$42\times\frac{3}{\square+\square}=42\times\frac{\square}{\square}=\square$

4 24 | 5 : 3

$24\times\frac{5}{\square+\square}=24\times\frac{\square}{\square}=\square$

$24\times\frac{3}{\square+\square}=24\times\frac{\square}{\square}=\square$

5 36 | 1 : 5

$36\times\frac{1}{\square+\square}=36\times\frac{\square}{\square}=\square$

$36\times\frac{5}{\square+\square}=36\times\frac{\square}{\square}=\square$

6 63 | 5 : 4

$63\times\frac{5}{\square+\square}=63\times\frac{\square}{\square}=\square$

$63\times\frac{4}{\square+\square}=63\times\frac{\square}{\square}=\square$

□ 안의 수를 주어진 비로 비례배분하려고 합니다. □ 안에 알맞은 수를 써넣으세요.

7 250 / 4 : 1

$250\times\frac{4}{\square+\square}=250\times\frac{\square}{\square}=\square$

$250\times\frac{1}{\square+\square}=250\times\frac{\square}{\square}=\square$

8 330 / 5 : 6

$330\times\frac{5}{\square+\square}=330\times\frac{\square}{\square}=\square$

$330\times\frac{6}{\square+\square}=330\times\frac{\square}{\square}=\square$

9 650 / 8 : 5

$650\times\frac{8}{\square+\square}=650\times\frac{\square}{\square}=\square$

$650\times\frac{5}{\square+\square}=650\times\frac{\square}{\square}=\square$

10 600 / 3 : 2

$600\times\frac{3}{\square+\square}=600\times\frac{\square}{\square}=\square$

$600\times\frac{2}{\square+\square}=600\times\frac{\square}{\square}=\square$

11 720 / 3 : 5

$720\times\frac{3}{\square+\square}=720\times\frac{\square}{\square}=\square$

$720\times\frac{5}{\square+\square}=720\times\frac{\square}{\square}=\square$

12 810 / 7 : 2

$810\times\frac{7}{\square+\square}=810\times\frac{\square}{\square}=\square$

$810\times\frac{2}{\square+\square}=810\times\frac{\square}{\square}=\square$

13 900 / 4 : 11

$900\times\frac{4}{\square+\square}=900\times\frac{\square}{\square}=\square$

$900\times\frac{11}{\square+\square}=900\times\frac{\square}{\square}=\square$

14 840 / 5 : 2

$840\times\frac{5}{\square+\square}=840\times\frac{\square}{\square}=\square$

$840\times\frac{2}{\square+\square}=840\times\frac{\square}{\square}=\square$

연습 ❹ 비례배분

안의 수를 주어진 비로 비례배분하여 [,] 안에 써넣으세요.

1 14

5 : 2 ➡ [,]

2 30

2 : 3 ➡ [,]

3 48

1 : 7 ➡ [,]

4 54

4 : 5 ➡ [,]

5 70

3 : 4 ➡ [,]

6 96

5 : 3 ➡ [,]

7 160

3 : 1 ➡ [,]

8 220

9 : 2 ➡ [,]

9 270

2 : 7 ➡ [,]

10 360

1 : 2 ➡ [,]

11 390

6 : 7 ➡ [,]

12 400

7 : 3 ➡ [,]

□ 안의 수를 주어진 비로 비례배분하여 [,] 안에 써넣으세요.

13 480

3 : 5 ➔ [,]

14 540

2 : 1 ➔ [,]

15 550

4 : 7 ➔ [,]

16 600

1 : 5 ➔ [,]

17 720

5 : 7 ➔ [,]

18 800

1 : 7 ➔ [,]

19 920

1 : 3 ➔ [,]

20 1000

9 : 1 ➔ [,]

21 1050

7 : 8 ➔ [,]

22 1200

3 : 9 ➔ [,]

실력 up

23 어머니께서 주신 용돈 15000원을 형과 동생이 3 : 2의 비로 나누어 가지려고 합니다. 형과 동생은 얼마씩 가질 수 있을까요?

15000

3 : 2 ➔ [,]

답 형: , 동생:

적용

3. 비례식과 비례배분

비율이 같은 비를 찾아 이으세요.

1

4 : 7	8 : 36
5 : 8	20 : 32
2 : 9	12 : 21

2

8 : 3	30 : 21
10 : 7	30 : 24
5 : 4	40 : 15

3

24 : 16	7 : 6
36 : 27	3 : 2
42 : 36	4 : 3

4

48 : 30	7 : 9
49 : 63	9 : 7
27 : 21	8 : 5

가장 간단한 자연수의 비로 나타내세요.

5 2.7 : 3.5 ➡ ☐

6 4.2 : 6.3 ➡ ☐

7 $\frac{4}{7} : \frac{3}{8}$ ➡ ☐

8 $\frac{2}{9} : \frac{5}{6}$ ➡ ☐

9 52 : 39 ➡ ☐

10 630 : 560 ➡ ☐

11 $\frac{1}{3} : 0.7$ ➡ ☐

12 $1.4 : \frac{4}{5}$ ➡ ☐

◆에 알맞은 수를 □ 안에 써넣으세요.

13 2 : 5=◆ : 20 □

14 3 : ◆=12 : 28 □

15 7 : 8=56 : ◆ □

16 ◆ : 15=12 : 45 □

17 24 : 6=◆ : 0.5 □

18 3.2 : ◆=16 : 15 □

19 2 : 8=$\frac{3}{4}$: ◆ □

20 ◆ : $\frac{1}{2}$=18 : 3 □

안의 수를 주어진 비로 비례배분하세요.

21 88

가 : 나=3 : 5 → 가 □, 나 □

22 105

가 : 나=4 : 11 → 가 □, 나 □

23 350

가 : 나=5 : 2 → 가 □, 나 □

24 780

가 : 나=9 : 4 → 가 □, 나 □

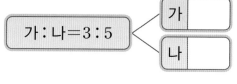

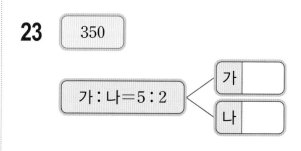

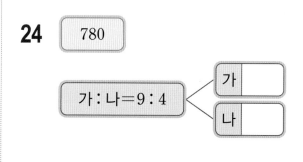

평가 3. 비례식과 비례배분

비의 성질을 이용하여 □ 안에 알맞은 수를 써넣으세요.

1 $2:3=22:\square$

2 $5:7=30:\square$

3 $8:9=\square:72$

4 $6:5=\square:50$

5 $84:36=7:\square$

6 $66:60=11:\square$

7 $90:78=\square:13$

8 $72:96=\square:16$

가장 간단한 자연수의 비로 나타내세요.

9 $0.7:1.5$

10 $2.4:4.9$

11 $\frac{4}{5}:\frac{7}{9}$

12 $\frac{5}{8}:\frac{7}{11}$

13 $320:280$

14 $450:810$

15 $2.1:\frac{3}{4}$

16 $1\frac{2}{5}:0.6$

비례식의 성질을 이용하여 □ 안에 알맞은 수를 써넣으세요.

17 5 : 7=□ : 35

18 8 : □=64 : 72

19 4 : 13=24 : □

20 □ : 5=81 : 45

21 1.2 : 0.9=□ : 4.5

22 0.8 : 1.5=6.4 : □

23 □ : $\frac{5}{6}$=66 : 5

24 20 : □=$\frac{2}{7}$: 2.1

□ 안의 수를 주어진 비로 비례배분하여 [,] 안에 써넣으세요.

25 49

5 : 2 ➔ [,]

26 52

1 : 3 ➔ [,]

27 88

3 : 5 ➔ [,]

28 300

7 : 3 ➔ [,]

29 480

5 : 7 ➔ [,]

30 780

2 : 11 ➔ [,]

31 850

10 : 7 ➔ [,]

정답 ➔ 22쪽

:: 비율이 같은 비를 찾아 이으세요.

32

2 : 7 •	• 30 : 80
4 : 5 •	• 10 : 35
3 : 8 •	• 24 : 30

33

28 : 63 •	• 4 : 9
30 : 36 •	• 3 : 7
27 : 63 •	• 5 : 6

:: 가장 간단한 자연수의 비로 나타내세요.

34 1.9 : 2.2 ➔ □

35 $\frac{5}{9} : \frac{8}{11}$ ➔ □

36 210 : 150 ➔ □

:: ◆에 알맞은 수를 □ 안에 써넣으세요.

37 2 : 15=◆ : 60 — □

38 8 : 1.2=20 : ◆ — □

39 $\frac{4}{7}$: ◆=2 : 49 — □

:: ▭ 안의 수를 주어진 비로 비례배분하세요.

40 540

가 : 나=4 : 5 → 가 □, 나 □

41 900

가 : 나=7 : 8 → 가 □, 나 □

4 원의 넓이

학습 계획표

학습 내용	원리	연습
❶ 원주 구하기	Day 55	Day 56
❷ 지름 또는 반지름 구하기	Day 57	Day 58
❸ 원의 넓이 구하기	Day 59	Day 60
적용	Day 61	
평가	Day 62	

학습 관리 tip 맨 앞장의 학습 플래너를 이용하여 학습 스케줄을 관리하도록 하세요!

원리 동영상 강의

❶ 원주 구하기

원주 구하기

- 원의 둘레의 길이를 원주라고 합니다.
- 원의 지름에 대한 원주의 비율을 원주율이라고 합니다.
- 지름 또는 반지름을 알 때 원주율을 이용하여 원주 구하는 방법

(원주)＝(지름)×(원주율)

＝(반지름)×2×(원주율)

예 지름이 6 cm인 원의 원주 구하기 (원주율: 3.14)

(원주)＝6×3.14＝18.84(cm)

뿡뿡이

(원주율)＝(원주)÷(지름)
원주율을 소수로 나타내면 3.1415926535897932……와 같이 끝없이 이어지기 때문에 필요에 따라 3, 3.1, 3.14 등으로 줄여서 사용해.

원주를 구하려고 합니다. □ 안에 알맞은 수를 써넣으세요. (원주율: 3.14)

1

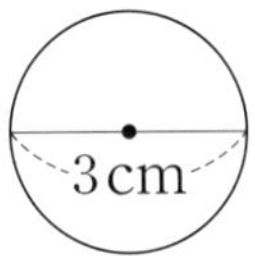

(원주)＝(지름)×(원주율)

＝□×□＝□(cm)

2

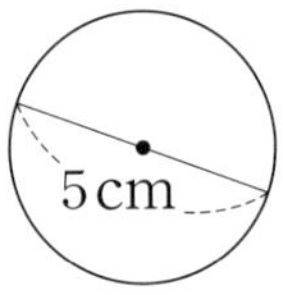

(원주)＝□×□＝□(cm)

3

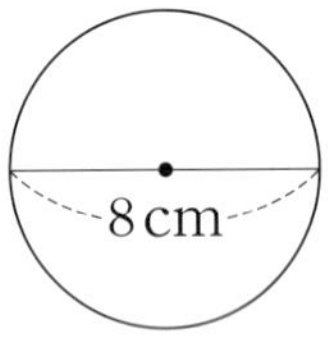

(원주)＝□×□＝□(cm)

4

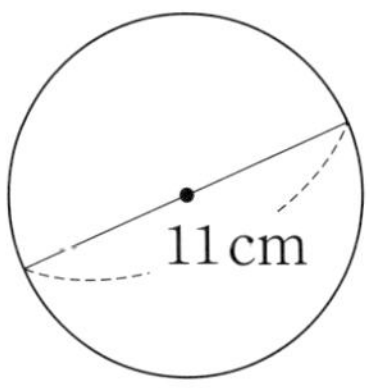

(원주)＝□×□＝□(cm)

5

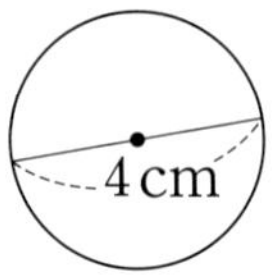

(원주)＝□×□＝□(cm)

6

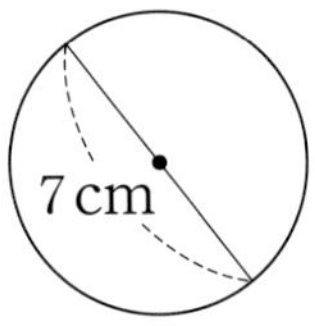

(원주)＝□×□＝□(cm)

7

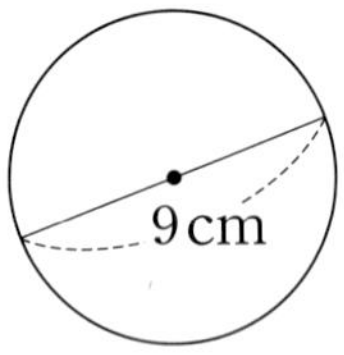

(원주)＝□×□＝□(cm)

8

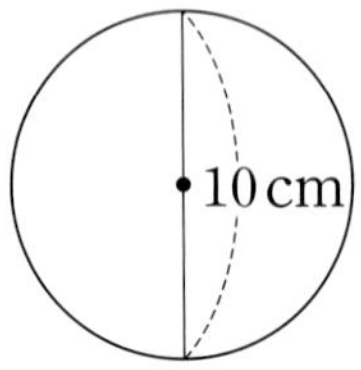

(원주)＝□×□＝□(cm)

원주를 구하려고 합니다. □ 안에 알맞은 수를 써넣으세요. (원주율: 3.1)

9

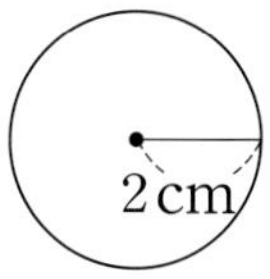

(원주)＝(반지름)×2×(원주율)

＝□×□×□＝□(cm)

10

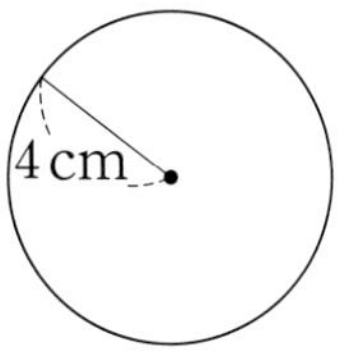

(원주)＝□×□×□＝□(cm)

11

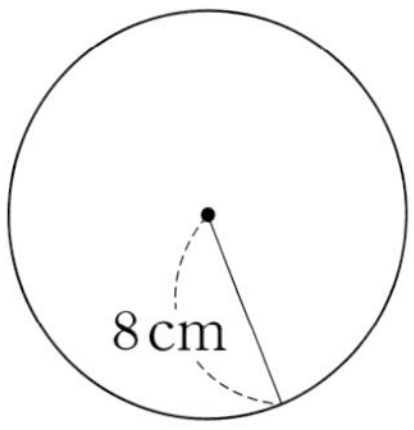

(원주)＝□×□×□＝□(cm)

12

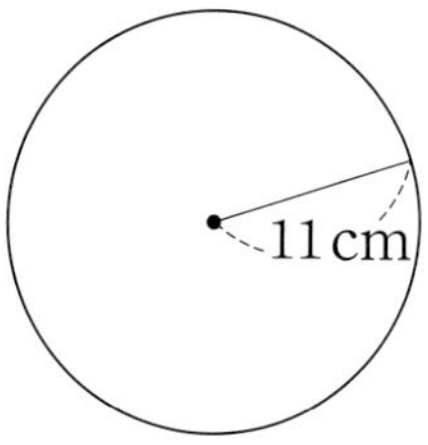

(원주)＝□×□×□＝□(cm)

13

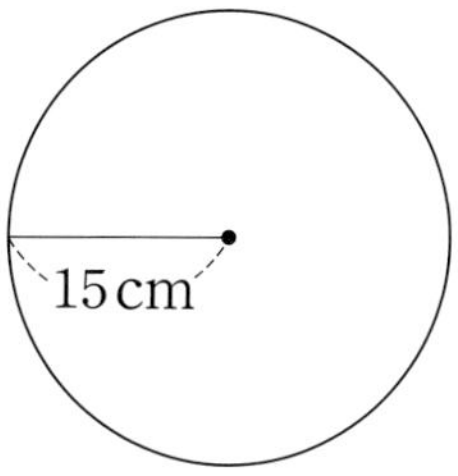

(원주)＝□×□×□＝□(cm)

14

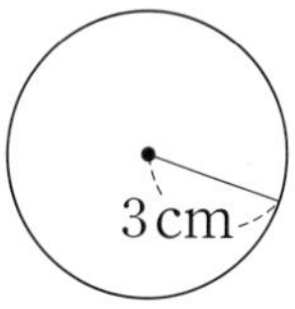

(원주)＝□×□×□＝□(cm)

15

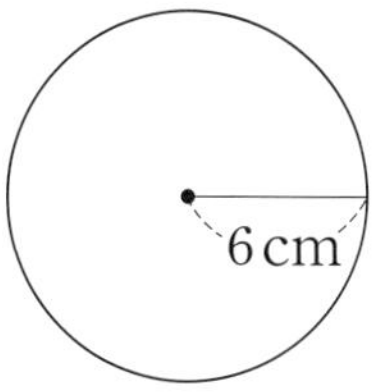

(원주)＝□×□×□＝□(cm)

16

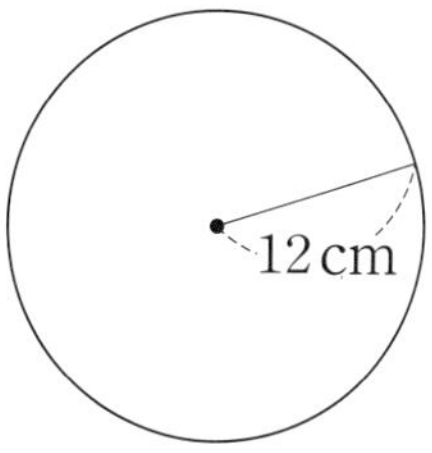

(원주)＝□×□×□＝□(cm)

17

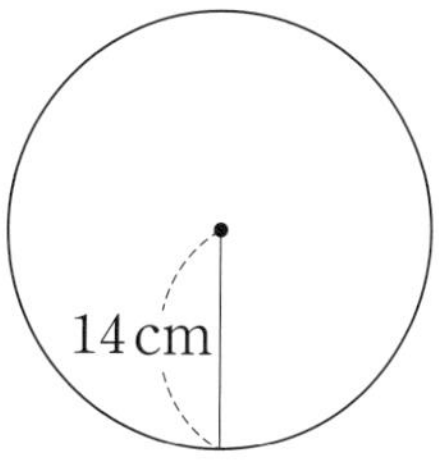

(원주)＝□×□×□＝□(cm)

18

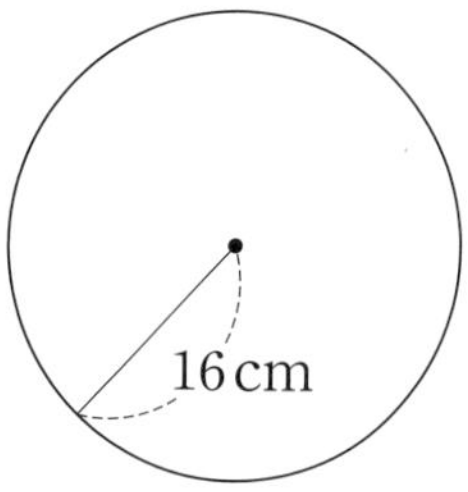

(원주)＝□×□×□＝□(cm)

연습

❶ 원주 구하기

⁘ 원주를 구하세요. (원주율: 3.14)

1

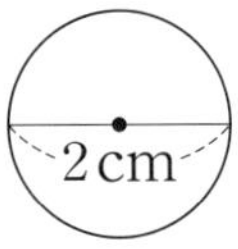

(　　　　　　　　)

2

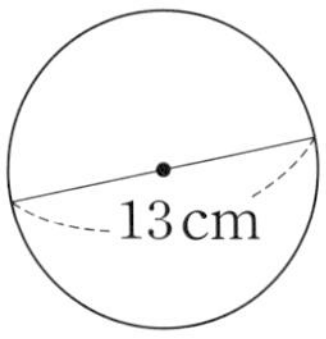

(　　　　　　　　)

3

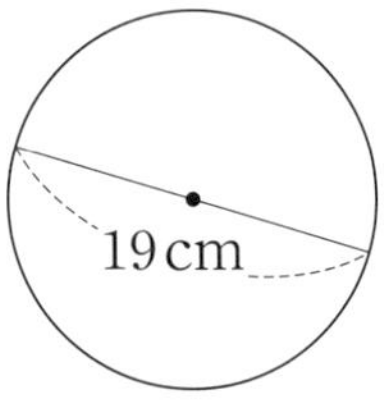

(　　　　　　　　)

4

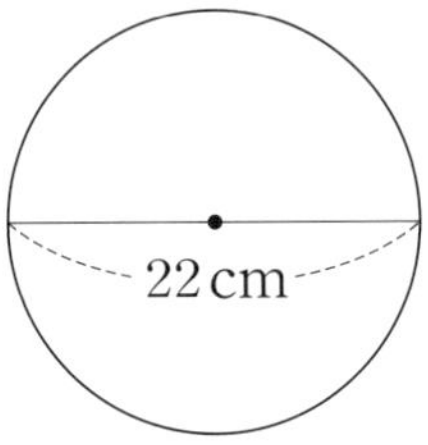

(　　　　　　　　)

5

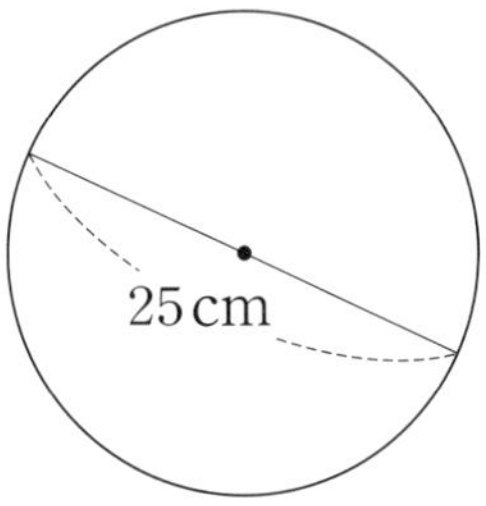

(　　　　　　　　)

6

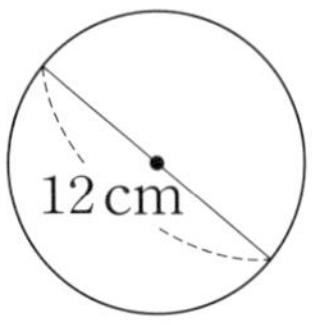

(　　　　　　　　)

7

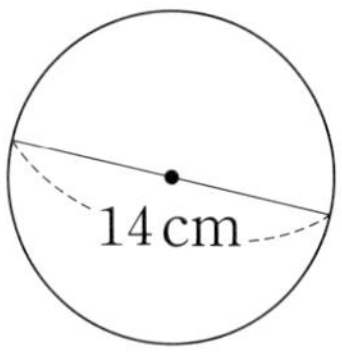

(　　　　　　　　)

8

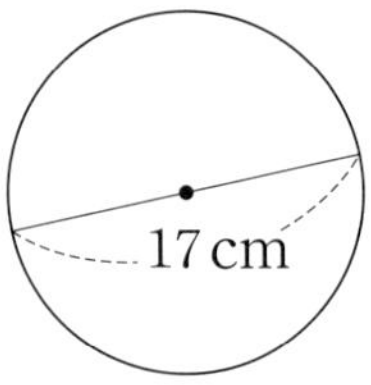

(　　　　　　　　)

9

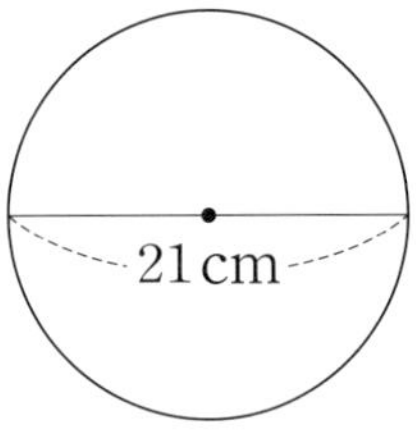

(　　　　　　　　)

10

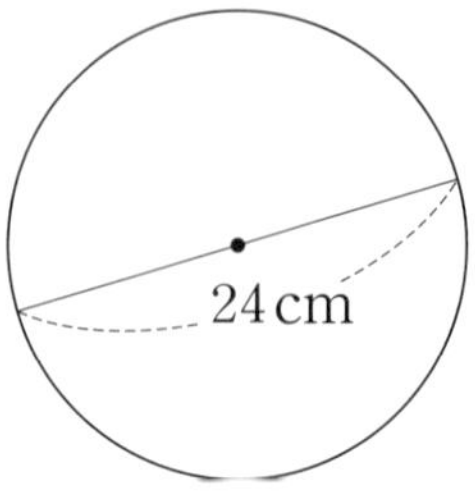

(　　　　　　　　)

원주를 구하세요. (원주율: 3.1)

11

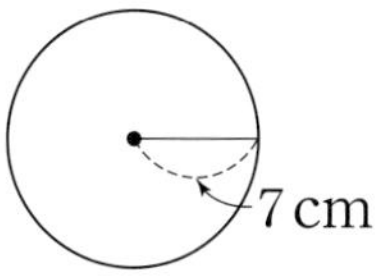

( )

12

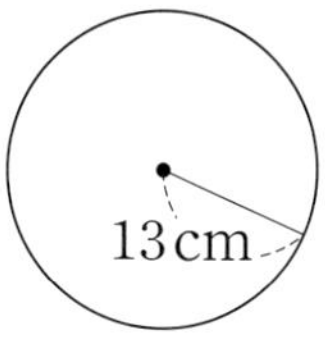

( )

13

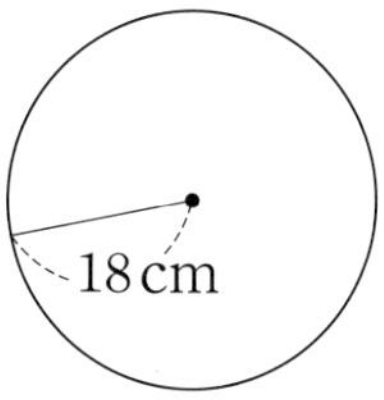

( )

14

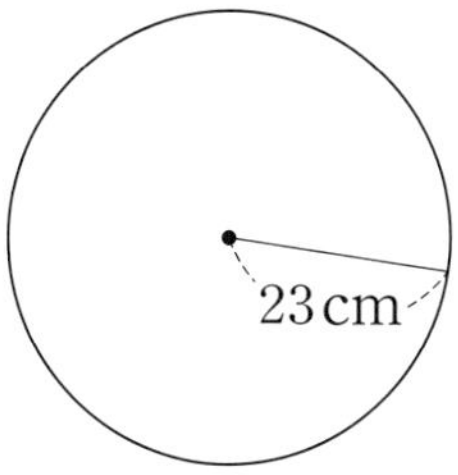

( )

15

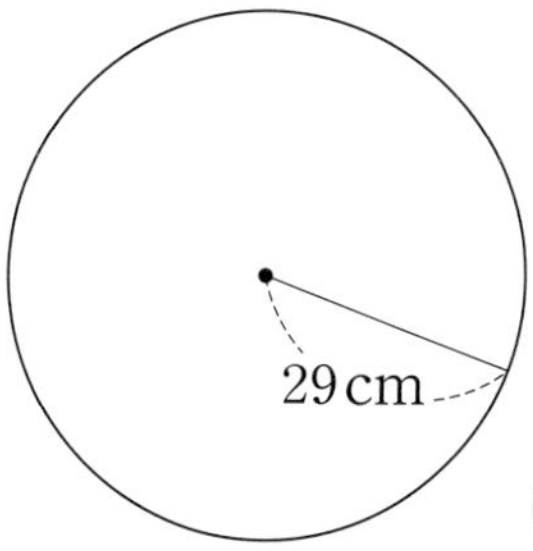

( )

16

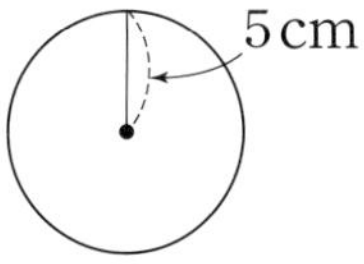

( )

17

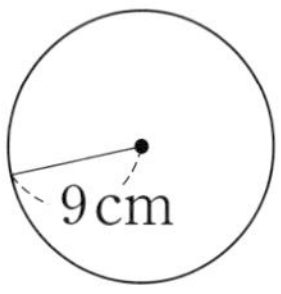

( )

18

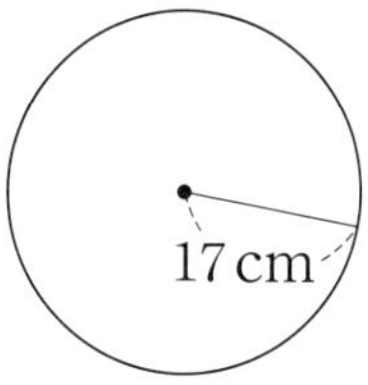

( )

19

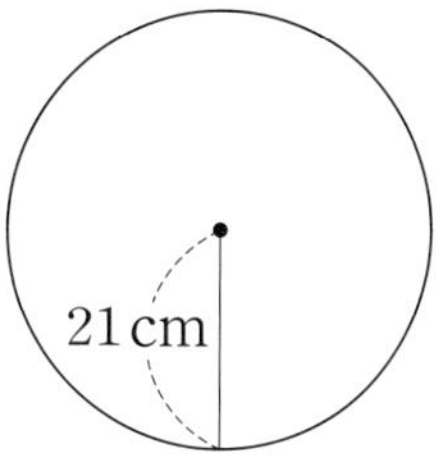

( )

실력 up

20 반지름이 53 cm인 굴렁쇠의 원주를 구하세요. (원주율: 3.1)

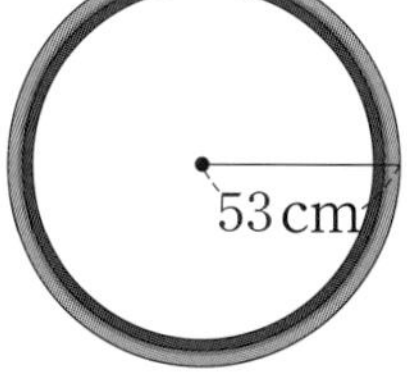

답 ______________

원리

❷ 지름 또는 반지름 구하기

원리 동영상 강의

⊙ 지름 또는 반지름 구하기

- 원주를 알 때 원주율을 이용하여 지름 구하는 방법

  (지름)=(원주)÷(원주율)

- 원주를 알 때 원주율을 이용하여 반지름 구하는 방법

  (반지름)=(원주)÷(원주율)÷2 ← (반지름)=(지름)÷2

㉠ 원주가 12.56 cm인 원의 지름, 반지름 구하기 (원주율: 3.14)

(지름)=12.56÷3.14=4(cm)

(반지름)=12.56÷3.14÷2=2(cm) → (지름)÷2=4÷2=2

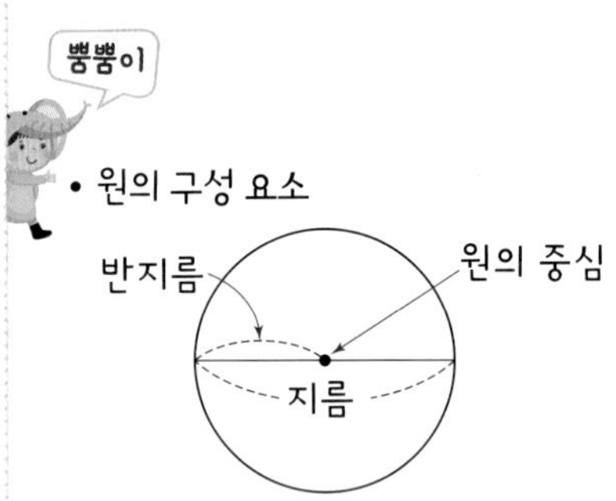

원의 지름을 구하려고 합니다. □ 안에 알맞은 수를 써넣으세요. (원주율: 3.14)

1

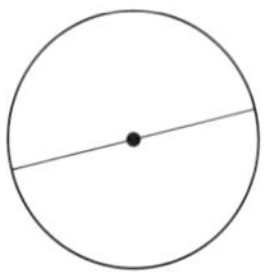

원주: 6.28 cm

(지름)=(원주)÷(원주율)

=□÷□=□(cm)

2

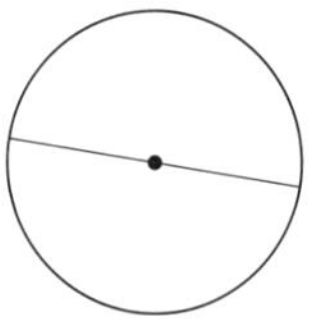

원주: 15.7 cm

(지름)=□÷□=□(cm)

3

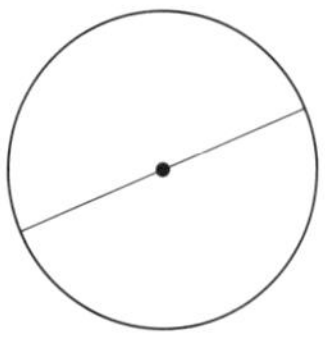

원주: 18.84 cm

(지름)=□÷□=□(cm)

4

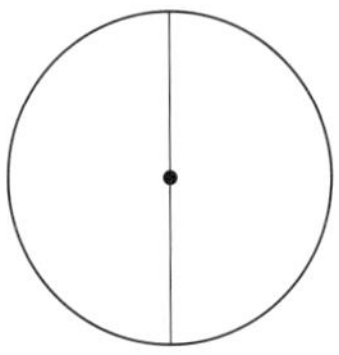

원주: 21.98 cm

(지름)=□÷□=□(cm)

원의 지름을 구하려고 합니다. □ 안에 알맞은 수를 써넣으세요. (원주율: 3.1)

5

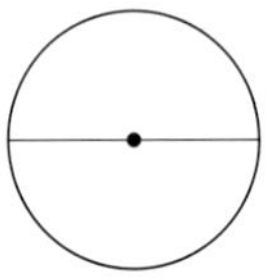

원주: 6.2 cm

(지름)=□÷□=□(cm)

6

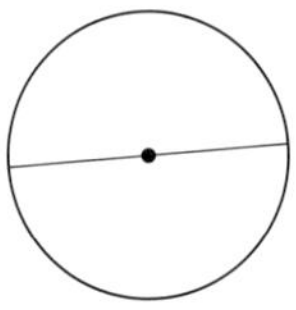

원주: 12.4 cm

(지름)=□÷□=□(cm)

7

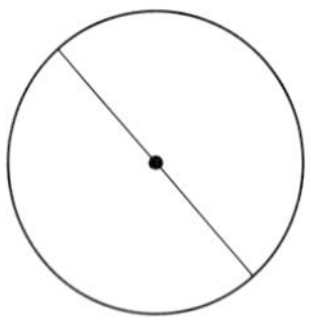

원주: 15.5 cm

(지름)=□÷□=□(cm)

8

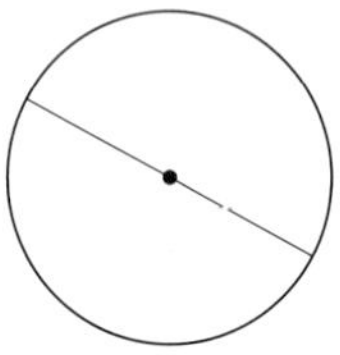

원주: 21.7 cm

(지름)=□÷□=□(cm)

원의 반지름을 구하려고 합니다. □ 안에 알맞은 수를 써넣으세요. (원주율: 3.14)

9

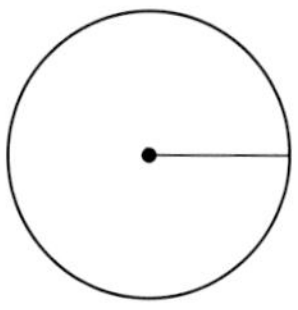

원주: 18.84 cm

(반지름)＝(원주)÷(원주율)÷2

＝□÷□÷□

＝□(cm)

10

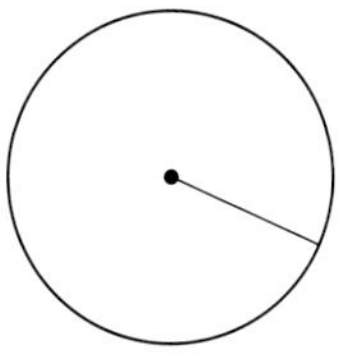

원주: 25.12 cm

(반지름)＝□÷□÷□

＝□(cm)

11

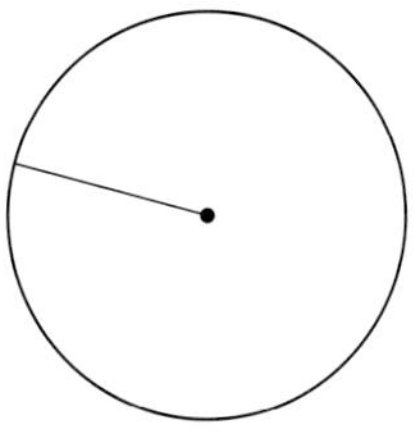

원주: 50.24 cm

(반지름)＝□÷□÷□

＝□(cm)

12

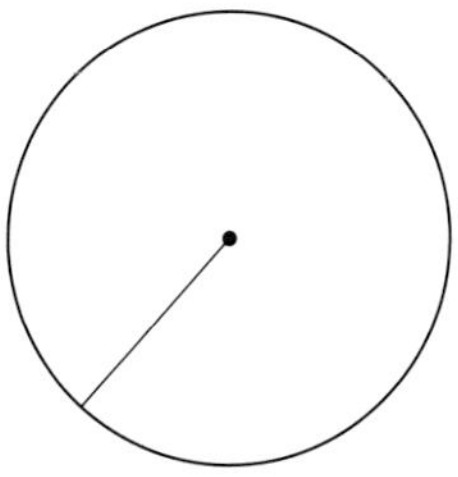

원주: 69.08 cm

(반지름)＝□÷□÷□

＝□(cm)

원의 반지름을 구하려고 합니다. □ 안에 알맞은 수를 써넣으세요. (원주율: 3.1)

13

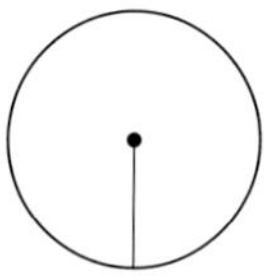

원주: 12.4 cm

(반지름)＝□÷□÷□

＝□(cm)

14

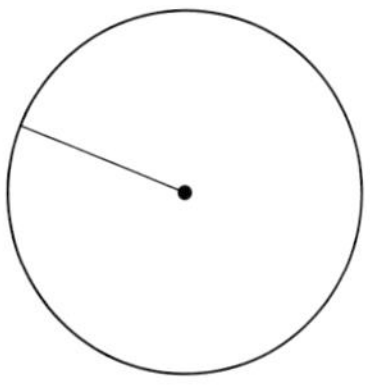

원주: 31 cm

(반지름)＝□÷□÷□

＝□(cm)

15

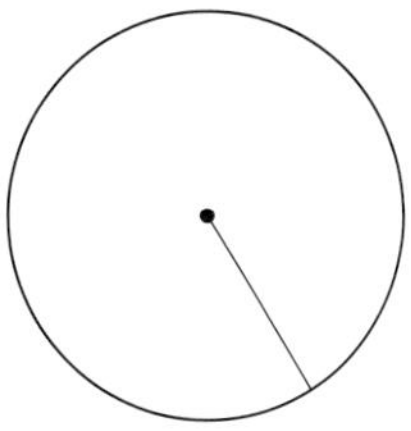

원주: 49.6 cm

(반지름)＝□÷□÷□

＝□(cm)

16

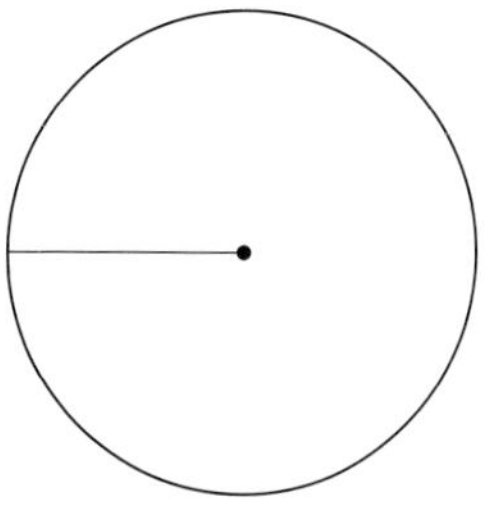

원주: 74.4 cm

(반지름)＝□÷□÷□

＝□(cm)

연습 ❷ 지름 또는 반지름 구하기

원의 지름을 구하세요. (원주율: 3.14)

1 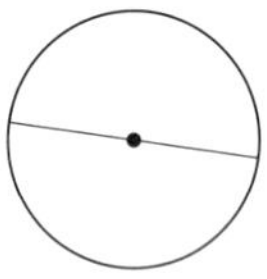

원주: 9.42 cm

(　　　　　　　　)

2 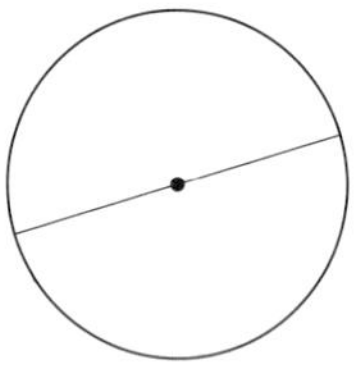

원주: 28.26 cm

(　　　　　　　　)

3 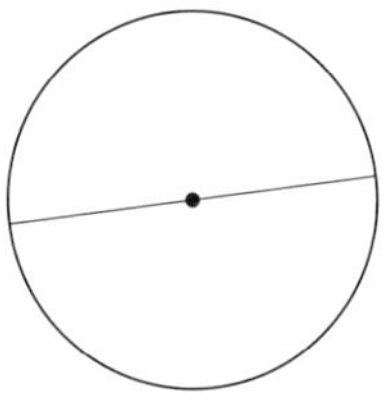

원주: 34.54 cm

(　　　　　　　　)

4 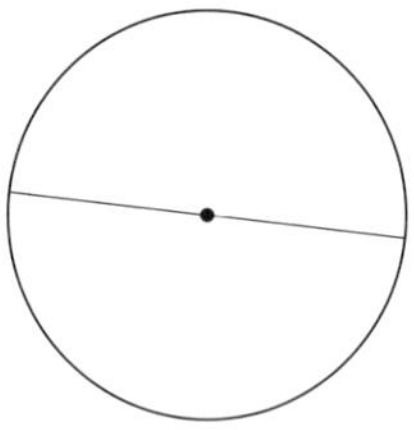

원주: 43.96 cm

(　　　　　　　　)

5 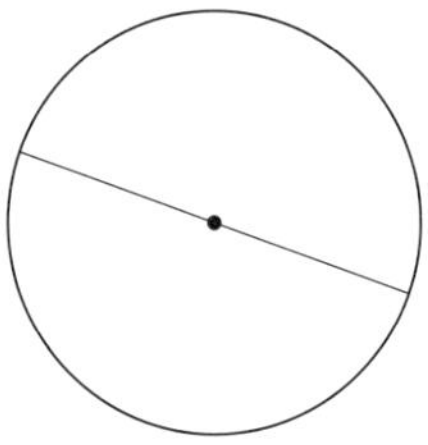

원주: 47.1 cm

(　　　　　　　　)

원의 지름을 구하세요. (원주율: 3.1)

6 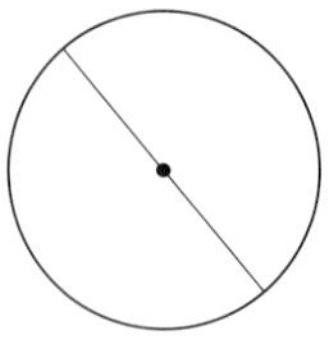

원주: 18.6 cm

(　　　　　　　　)

7 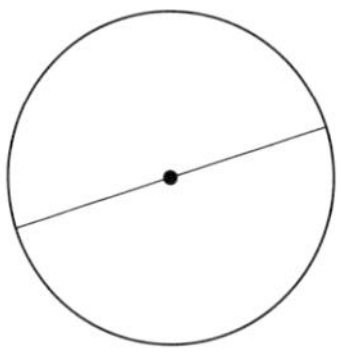

원주: 24.8 cm

(　　　　　　　　)

8 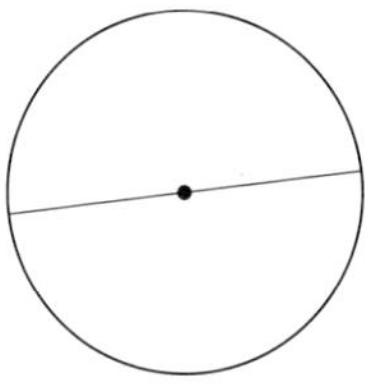

원주: 31 cm

(　　　　　　　　)

9 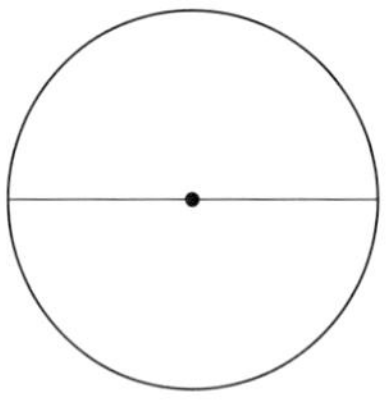

원주: 34.1 cm

(　　　　　　　　)

10 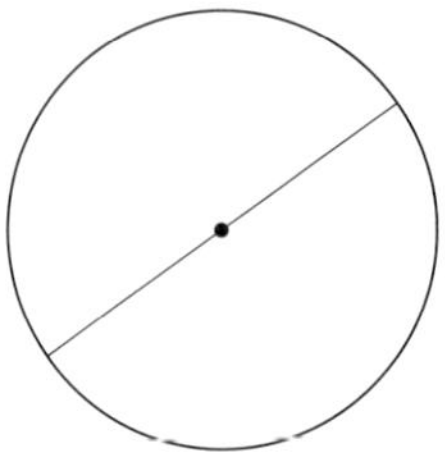

원주: 49.6 cm

(　　　　　　　　)

원의 반지름을 구하세요. (원주율: 3.1)

11

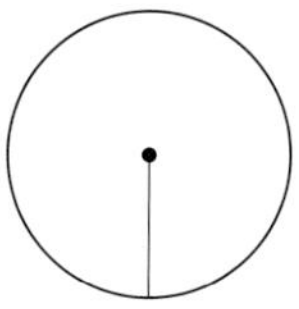

원주: 37.2 cm

(　　　　　　　　　　)

12

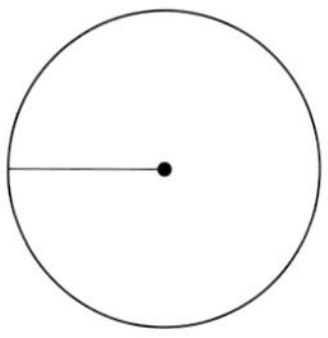

원주: 55.8 cm

(　　　　　　　　　　)

13

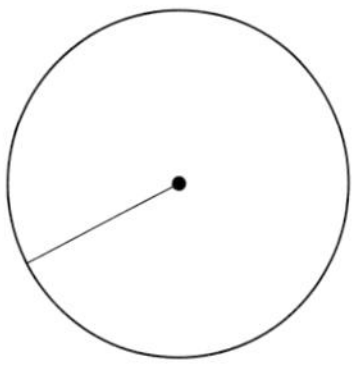

원주: 86.8 cm

(　　　　　　　　　　)

14

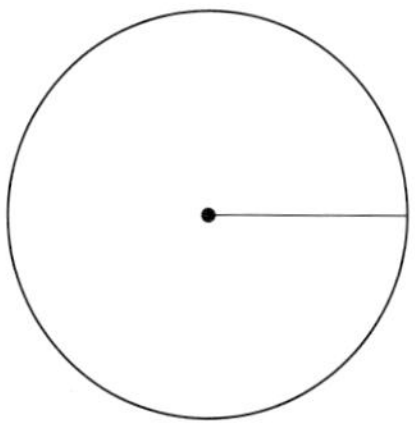

원주: 136.4 cm

(　　　　　　　　　　)

15

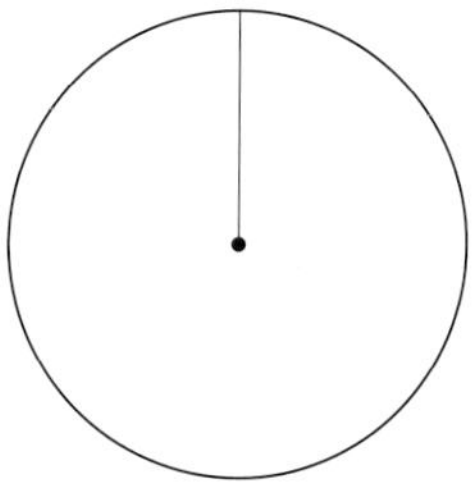

원주: 198.4 cm

(　　　　　　　　　　)

원의 반지름을 구하세요. (원주율: 3)

16

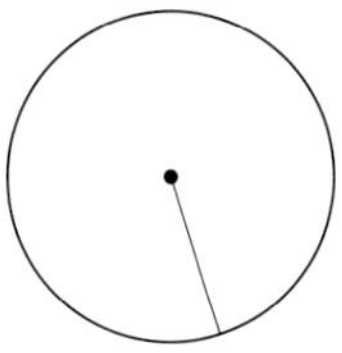

원주: 78 cm

(　　　　　　　　　　)

17

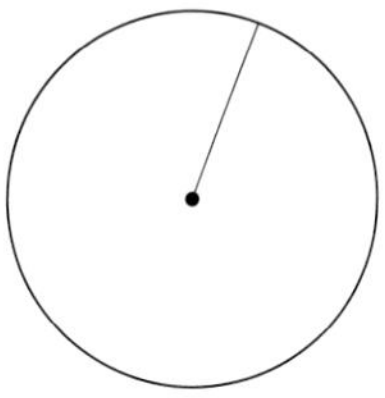

원주: 102 cm

(　　　　　　　　　　)

18

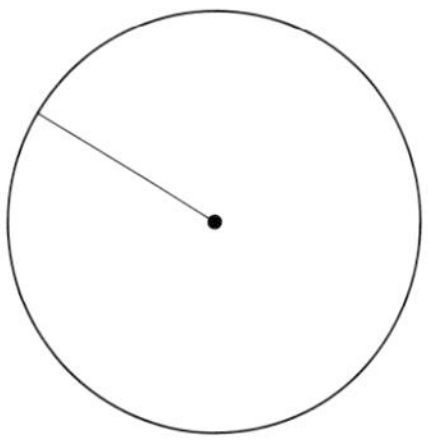

원주: 138 cm

(　　　　　　　　　　)

19

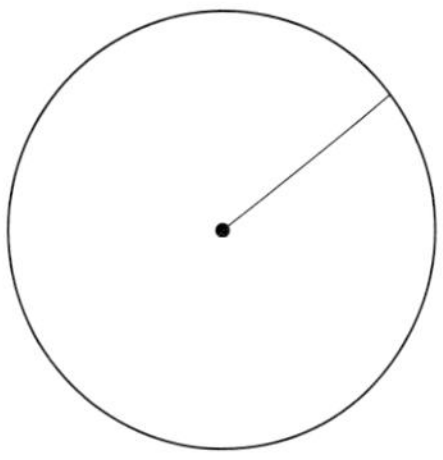

원주: 150 cm

(　　　　　　　　　　)

실력 up

20 원주가 90 cm인 탬버린입니다. 이 탬버린의 지름은 몇 cm일까요? (원주율: 3)

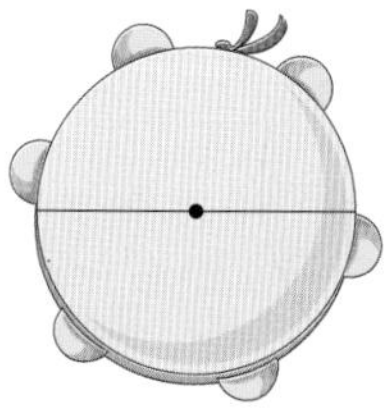

답 ____________________

원리 ❸ 원의 넓이 구하기

● 원의 넓이 구하기

(원의 넓이) = (원주) × $\frac{1}{2}$ × (반지름)

= (원주율) × (지름) × $\frac{1}{2}$ × (반지름)

= (원주율) × (반지름) × (반지름)

㉡ 반지름이 3 cm인 원의 넓이 구하기 (원주율: 3.1)

(원의 넓이) = 3.1 × 3 × 3 = 27.9(cm^2)

조심이

반지름을 이용하여 원의 넓이를 구할 때 원주를 구할 때처럼 (반지름) × 2로 계산하지 않도록 주의해!

㉡ 반지름이 3 cm인 원의 넓이 (원주율: 3.1)

(원의 넓이) = 3.1 × 3 × 2 = 18.6(cm^2)

원의 넓이를 구하려고 합니다. □ 안에 알맞은 수를 써넣으세요. (원주율: 3.1)

1

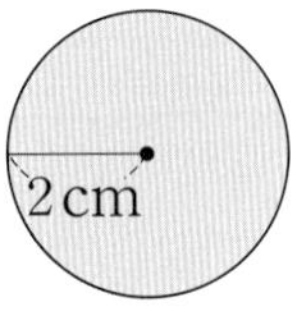

(원의 넓이) = (원주율) × (반지름) × (반지름)

= □ × □ × □

= □(cm^2)

2

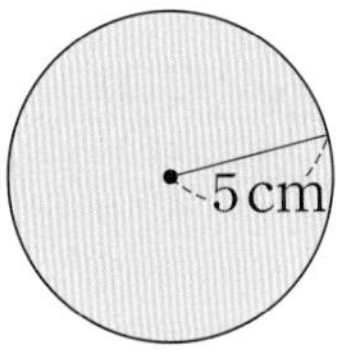

(원의 넓이) = □ × □ × □

= □(cm^2)

3

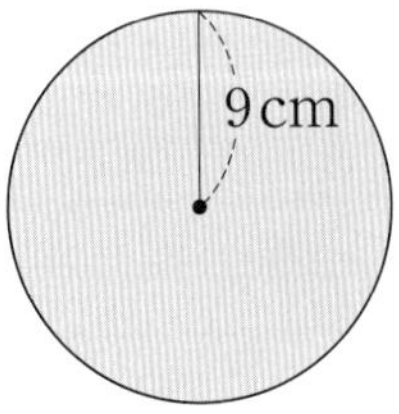

(원의 넓이) = □ × □ × □

= □(cm^2)

4

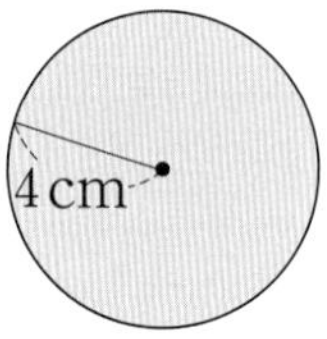

(원의 넓이) = □ × □ × □

= □(cm^2)

5

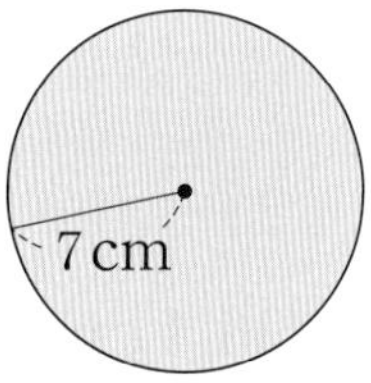

(원의 넓이) = □ × □ × □

= □(cm^2)

6

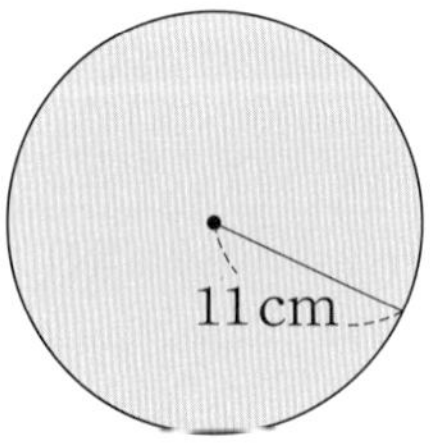

(원의 넓이) = □ × □ × □

= □(cm^2)

원의 넓이를 구하려고 합니다. □ 안에 알맞은 수를 써넣으세요. (원주율: 3)

7

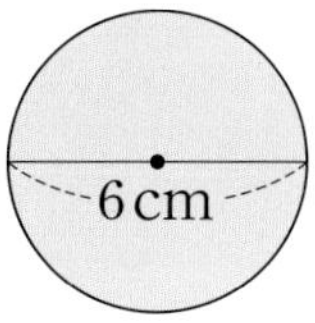

(원의 넓이) = □ × □ × □

= □ (cm²)

8

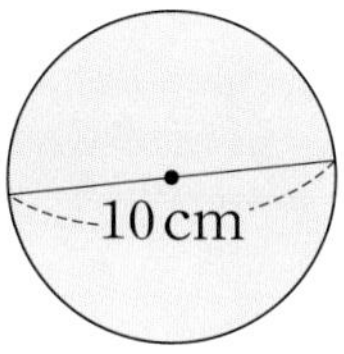

(원의 넓이) = □ × □ × □

= □ (cm²)

9

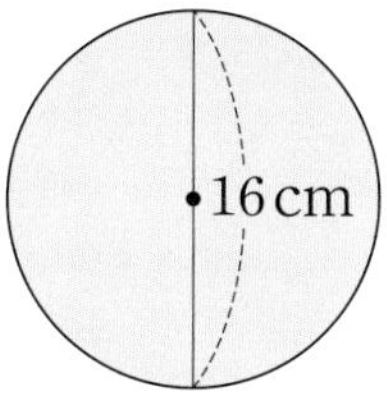

(원의 넓이) = □ × □ × □

= □ (cm²)

10

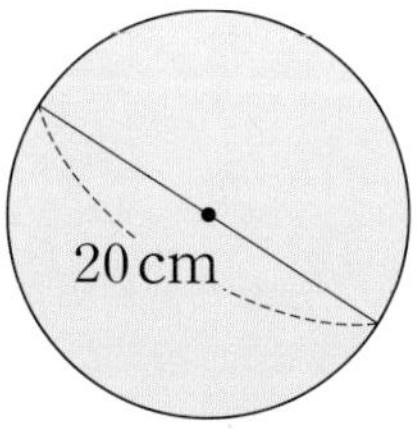

(원의 넓이) = □ × □ × □

= □ (cm²)

11

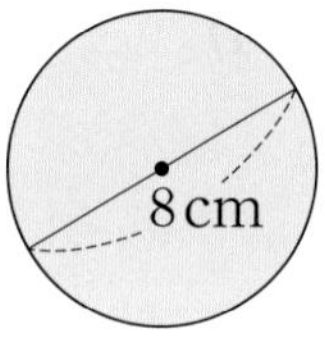

(원의 넓이) = □ × □ × □

= □ (cm²)

12

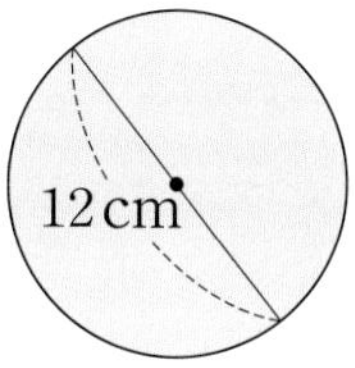

(원의 넓이) = □ × □ × □

= □ (cm²)

13

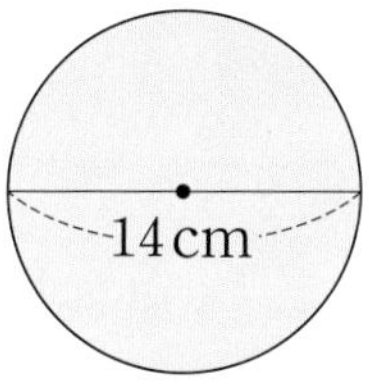

(원의 넓이) = □ × □ × □

= □ (cm²)

14

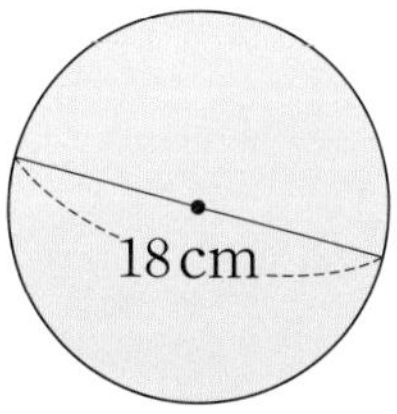

(원의 넓이) = □ × □ × □

= □ (cm²)

연습 ❸ 원의 넓이 구하기

원의 넓이를 구하세요. (원주율: 3.14)

1
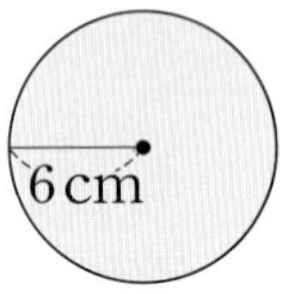

(　　　　　　　　　　)

2
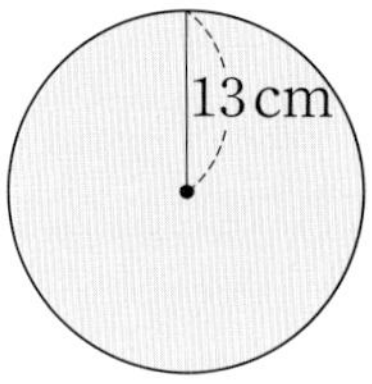

(　　　　　　　　　　)

3
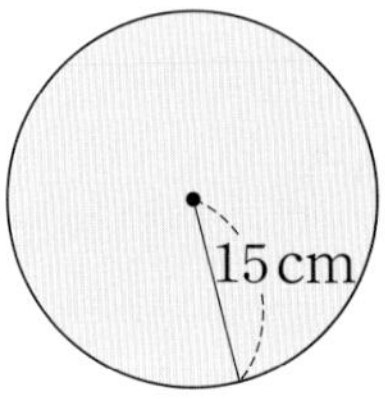

(　　　　　　　　　　)

4
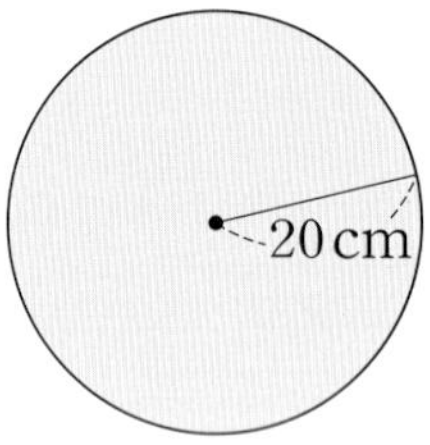

(　　　　　　　　　　)

5
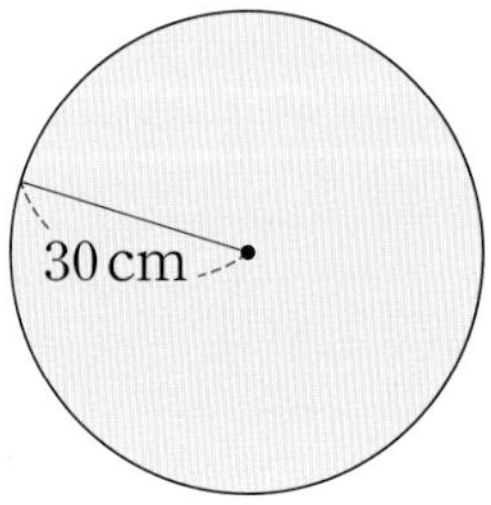

(　　　　　　　　　　)

6
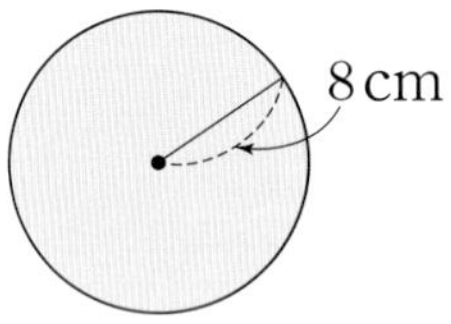

(　　　　　　　　　　)

7
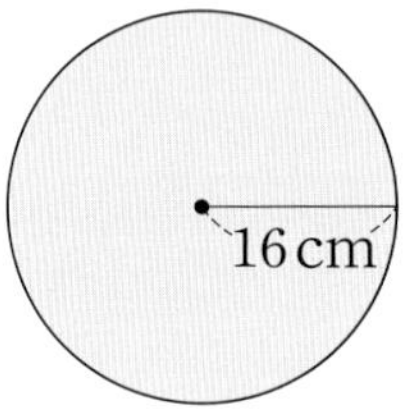

(　　　　　　　　　　)

8
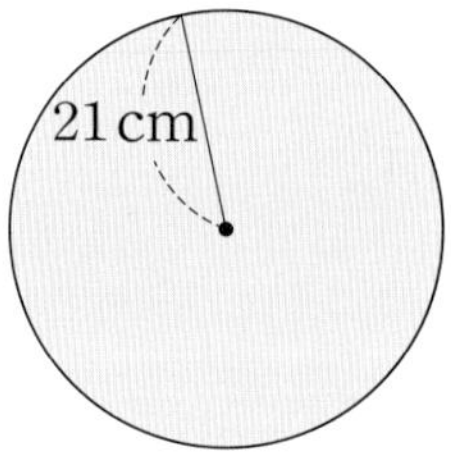

(　　　　　　　　　　)

9
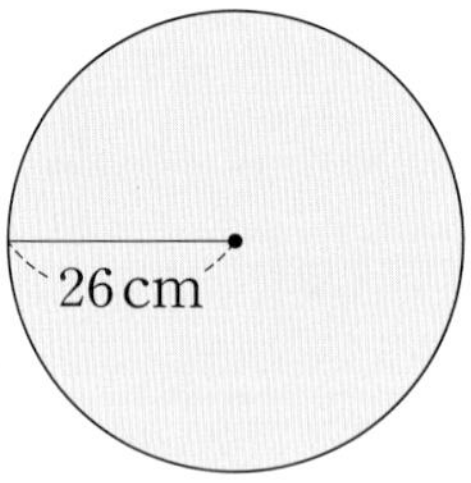

(　　　　　　　　　　)

10
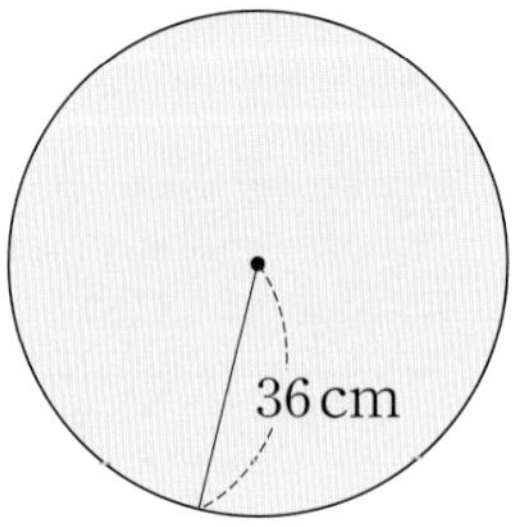

(　　　　　　　　　　)

원의 넓이를 구하세요. (원주율: 3.1)

11

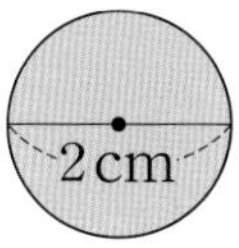

(   )

12

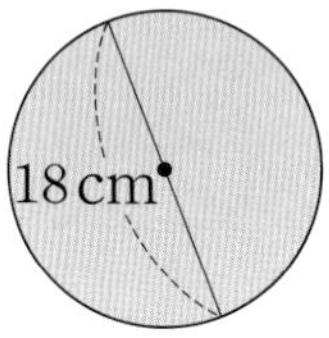

(   )

13

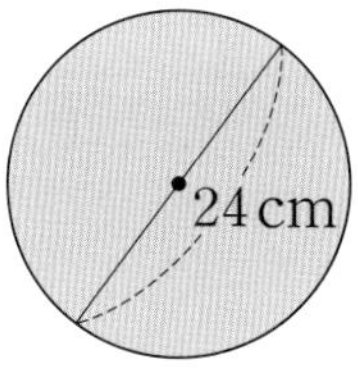

(   )

14

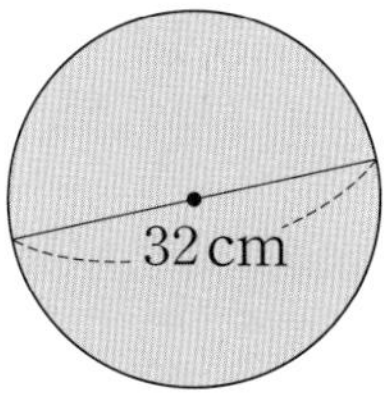

(   )

15

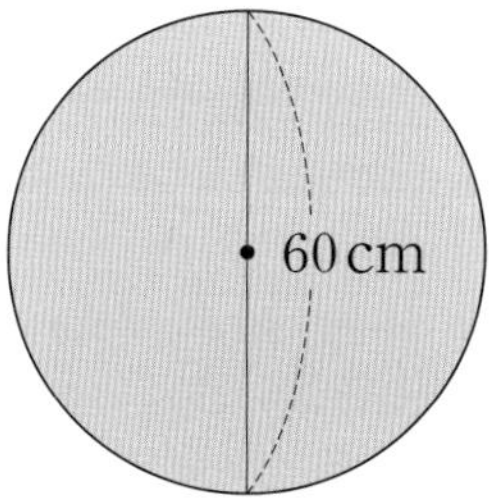

(   )

16

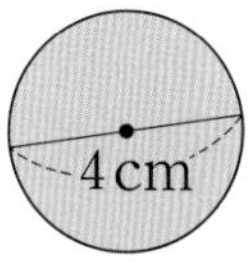

(   )

17

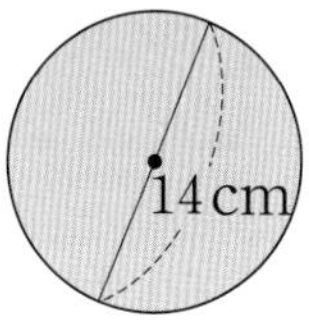

(   )

18

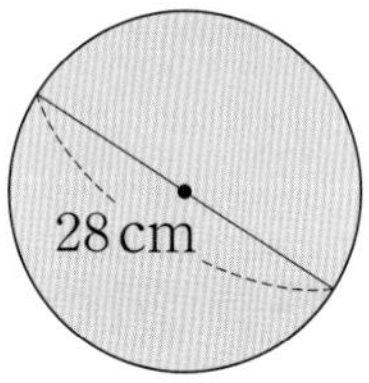

(   )

19

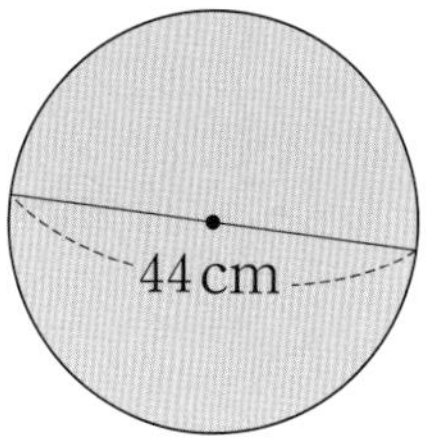

(   )

실력 up

20 표지판의 넓이를 구하세요. (원주율: 3.1)

답

적용

4. 원의 넓이

원주를 찾아 이으세요.

1

지름: 20 cm, 원주율: 3.14 •	• 56.52 cm
지름: 16 cm, 원주율: 3.14 •	• 62.8 cm
지름: 18 cm, 원주율: 3.14 •	• 50.24 cm

2

지름: 9 cm, 원주율: 3.1 •	• 31 cm
지름: 12 cm, 원주율: 3.1 •	• 37.2 cm
지름: 10 cm, 원주율: 3.1 •	• 27.9 cm

3

반지름: 14 cm, 원주율: 3 •	• 96 cm
반지름: 16 cm, 원주율: 3 •	• 114 cm
반지름: 19 cm, 원주율: 3 •	• 84 cm

원의 지름을 구하세요.

4 원주: 37.68 cm, 원주율: 3.14

( )

5 원주: 62 cm, 원주율: 3.1

( )

6 원주: 63 cm, 원주율: 3

( )

원의 반지름을 구하세요.

7 원주: 75.36 cm, 원주율: 3.14

( )

8 원주: 99.2 cm, 원주율: 3.1

( )

9 원주: 108 cm, 원주율: 3

( )

빈칸에 알맞은 수를 써넣으세요.

10

원주율	지름(cm)	반지름(cm)	넓이(cm^2)
3.1	12		

11

원주율	지름(cm)	반지름(cm)	넓이(cm^2)
3.14	10		

12

원주율	지름(cm)	반지름(cm)	넓이(cm^2)
3	30		

13

원주율	지름(cm)	반지름(cm)	넓이(cm^2)
3.1	20		

14

원주율	지름(cm)	반지름(cm)	넓이(cm^2)
3.14	26		

15

원주율	지름(cm)	반지름(cm)	넓이(cm^2)
3.1		3	

16

원주율	지름(cm)	반지름(cm)	넓이(cm^2)
3.14		7	

17

원주율	지름(cm)	반지름(cm)	넓이(cm^2)
3		11	

18

원주율	지름(cm)	반지름(cm)	넓이(cm^2)
3.1		23	

19

원주율	지름(cm)	반지름(cm)	넓이(cm^2)
3.14		24	

평가 4. 원의 넓이

:: 원주를 구하세요. (원주율: 3.14)

1 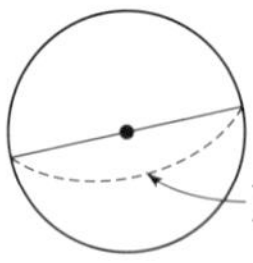

(　　　　　　　　　　)

2 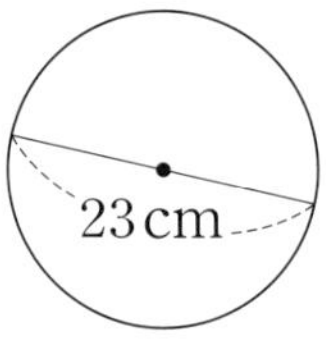

(　　　　　　　　　　)

3 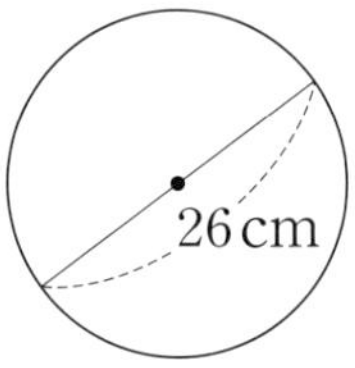

(　　　　　　　　　　)

4 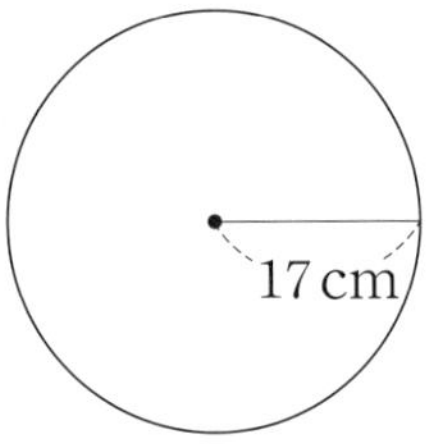

(　　　　　　　　　　)

5 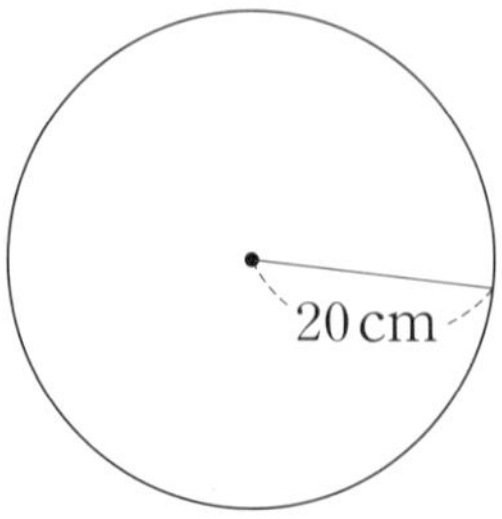

(　　　　　　　　　　)

:: 원의 지름을 구하세요. (원주율: 3.1)

6 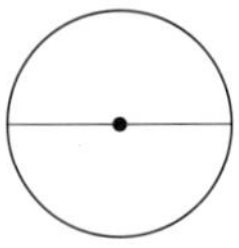

원주: 9.3 cm

(　　　　　　　　　　)

7 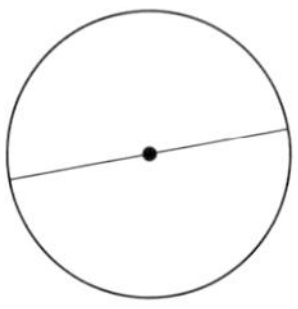

원주: 27.9 cm

(　　　　　　　　　　)

8 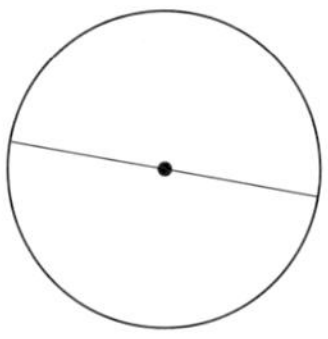

원주: 40.3 cm

(　　　　　　　　　　)

9 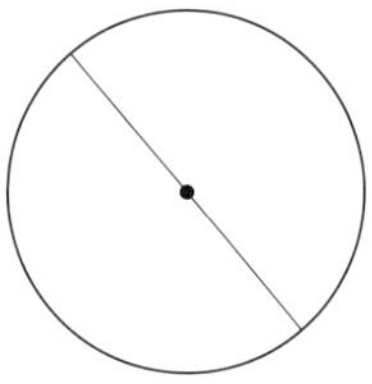

원주: 55.8 cm

(　　　　　　　　　　)

10 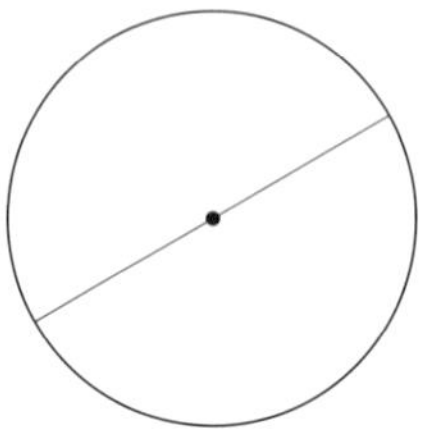

원주: 99.2 cm

(　　　　　　　　　　)

⁘ 원의 반지름을 구하세요. (원주율: 3)

11

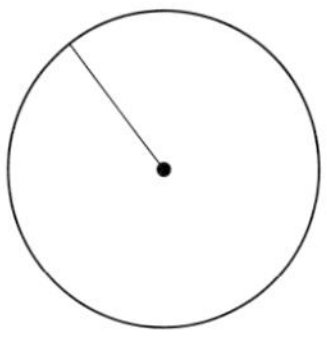

원주: 36 cm

(   )

12

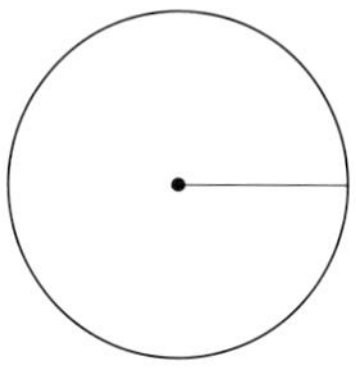

원주: 60 cm

(   )

13

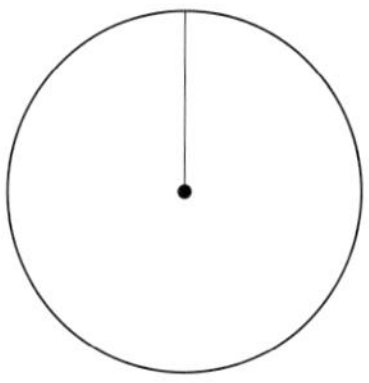

원주: 66 cm

(   )

14

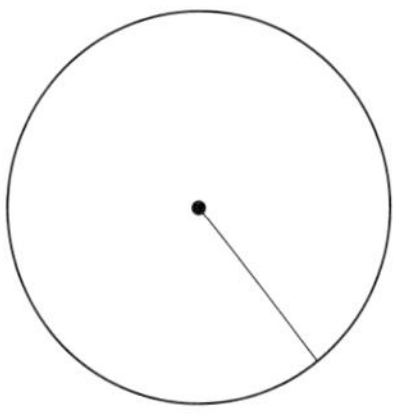

원주: 96 cm

(   )

15

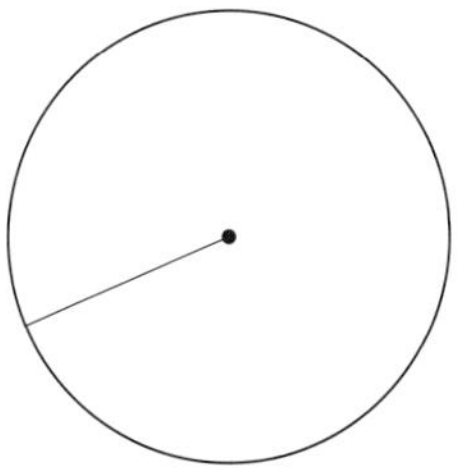

원주: 132 cm

(   )

⁘ 원의 넓이를 구하세요. (원주율: 3.14)

16

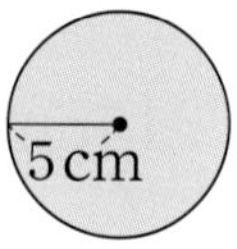

(   )

17

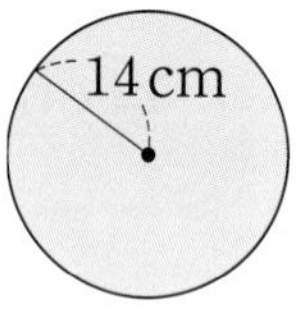

(   )

18

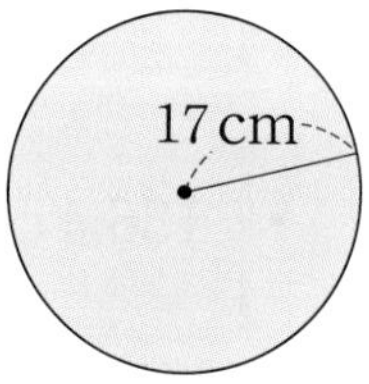

(   )

19

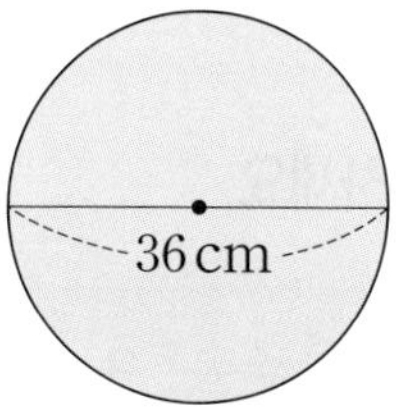

(   )

20

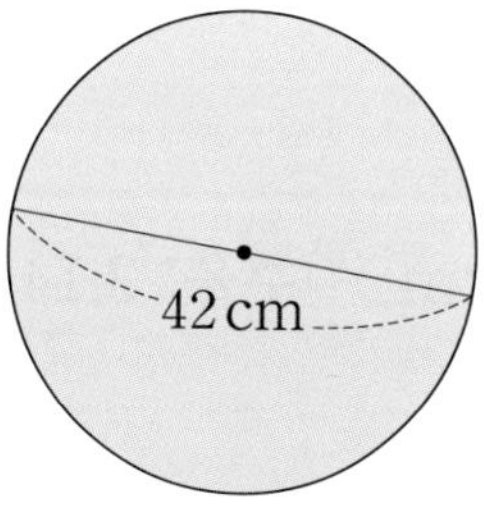

(   )

원주를 찾아 이으세요.

21

지름: 7 cm 원주율: 3	• •	15 cm
지름: 9 cm 원주율: 3	• •	27 cm
지름: 5 cm 원주율: 3	• •	21 cm

22

반지름: 22 cm 원주율: 3.1	• •	62 cm
반지름: 19 cm 원주율: 3.1	• •	136.4 cm
반지름: 10 cm 원주율: 3.1	• •	117.8 cm

원의 지름과 반지름을 각각 구하세요.

23 원주: 48 cm, 원주율: 3

지름 (　　　　　　)
반지름 (　　　　　　)

24 원주: 56.52 cm, 원주율: 3.14

지름 (　　　　　　)
반지름 (　　　　　　)

빈칸에 알맞은 수를 써넣으세요.

25

원주율	지름(cm)	반지름(cm)	넓이(cm^2)
3	26		

26

원주율	지름(cm)	반지름(cm)	넓이(cm^2)
3.1	34		

27

원주율	지름(cm)	반지름(cm)	넓이(cm^2)
3.14		19	

28

원주율	지름(cm)	반지름(cm)	넓이(cm^2)
3.1		25	

29

원주율	지름(cm)	반지름(cm)	넓이(cm^2)
3		12	

Memo

Memo

바른 계산, **빠른** 연산!

초능력

기초 학습 능력 강화

초능력 수학 연산 6·2

정답 및 풀이

동아출판

차례

정답 및 풀이

1 분수의 나눗셈

8~9쪽 원리 ❶

1 2, 1, 2
2 6, 3, 2
3 4, 2, 2
4 8, 4, 2
5 9, 3, 3
6 15, 5, 3
7 8, 2, 4
8 9, 3, 3
9 12, 3, 4
10 14, 2, 7
11 10, 5, 2
12 16, 4, 4
13 3, 2, $\frac{3}{2}$
14 6, 5, $\frac{6}{5}$
15 7, 3, $\frac{7}{3}$
16 8, 5, $\frac{8}{5}$
17 9, 7, $\frac{9}{7}$
18 7, 5, $\frac{7}{5}$
19 11, 8, $\frac{11}{8}$
20 11, 5, $\frac{11}{5}$
21 8, 3, $\frac{8}{3}$
22 9, 11, $\frac{9}{11}$
23 13, 9, $\frac{13}{9}$
24 14, 13, $\frac{14}{13}$
25 15, 16, $\frac{15}{16}$
26 17, 13, $\frac{17}{13}$

10~11쪽 연습 ❶

1 5
2 2
3 2
4 2
5 3
6 4
7 7
8 5
9 8
10 3
11 3
12 3
13 9
14 16
15 $\frac{4}{3}\left(=1\frac{1}{3}\right)$
16 $\frac{5}{2}\left(=2\frac{1}{2}\right)$
17 $\frac{7}{4}\left(=1\frac{3}{4}\right)$
18 $\frac{9}{8}\left(=1\frac{1}{8}\right)$
19 $\frac{8}{7}\left(=1\frac{1}{7}\right)$
20 $\frac{11}{5}\left(=2\frac{1}{5}\right)$
21 $\frac{13}{4}\left(=3\frac{1}{4}\right)$
22 $\frac{18}{17}\left(=1\frac{1}{17}\right)$
23 $\frac{7}{11}$
24 $\frac{9}{13}$
25 $\frac{14}{11}\left(=1\frac{3}{11}\right)$
26 $\frac{19}{3}\left(=6\frac{1}{3}\right)$
27 $\frac{13}{8}\left(=1\frac{5}{8}\right)$
28 $\frac{30}{7}\left(=4\frac{2}{7}\right)$
29 $\frac{24}{11}\left(=2\frac{2}{11}\right)$ / $\frac{24}{11}$배$\left(2\frac{2}{11}\text{배}\right)$

14 $\frac{48}{49}\div\frac{3}{49}=48\div3=16$

29 (가로)÷(세로)$=\frac{24}{25}\div\frac{11}{25}=24\div11$
$=\frac{24}{11}\left(=2\frac{2}{11}\right)$(배)

12~13쪽 적용 ❶

1 7
2 6
3 5
4 9
5 $\frac{7}{2}\left(=3\frac{1}{2}\right)$
6 $\frac{9}{4}\left(=2\frac{1}{4}\right)$
7 $\frac{13}{7}\left(=1\frac{6}{7}\right)$
8 $\frac{11}{3}\left(=3\frac{2}{3}\right)$
9 3
10 2
11 5
12 3
13 $\frac{11}{2}\left(=5\frac{1}{2}\right)$
14 $\frac{13}{7}\left(=1\frac{6}{7}\right)$
15 $\frac{16}{11}\left(=1\frac{5}{11}\right)$
16 $\frac{20}{9}\left(=2\frac{2}{9}\right)$

1 $\frac{7}{8}\div\frac{1}{8}=7\div1=7$
2 $\frac{12}{13}\div\frac{2}{13}=12\div2=6$
3 $\frac{20}{21}\div\frac{4}{21}=20\div4=5$
4 $\frac{27}{31}\div\frac{3}{31}=27\div3=9$
5 $\frac{7}{9}\div\frac{2}{9}=7\div2=\frac{7}{2}\left(=3\frac{1}{2}\right)$
6 $\frac{9}{11}\div\frac{4}{11}=9\div4=\frac{9}{4}\left(=2\frac{1}{4}\right)$
7 $\frac{13}{17}\div\frac{7}{17}=13\div7=\frac{13}{7}\left(=1\frac{6}{7}\right)$

8 $\frac{11}{20} \div \frac{3}{20} = 11 \div 3 = \frac{11}{3}\left(=3\frac{2}{3}\right)$

9 $\frac{9}{11} \div \frac{3}{11} = 9 \div 3 = 3$

10 $\frac{12}{17} \div \frac{6}{17} = 12 \div 6 = 2$

11 $\frac{25}{27} \div \frac{5}{27} = 25 \div 5 = 5$

12 $\frac{27}{28} \div \frac{9}{28} = 27 \div 9 = 3$

13 $\frac{11}{13} \div \frac{2}{13} = 11 \div 2 = \frac{11}{2}\left(=5\frac{1}{2}\right)$

14 $\frac{13}{15} \div \frac{7}{15} = 13 \div 7 = \frac{13}{7}\left(=1\frac{6}{7}\right)$

15 $\frac{16}{19} \div \frac{11}{19} = 16 \div 11 = \frac{16}{11}\left(=1\frac{5}{11}\right)$

16 $\frac{20}{23} \div \frac{9}{23} = 20 \div 9 = \frac{20}{9}\left(=2\frac{2}{9}\right)$

14~15쪽 원리 ❷

1 2, 1 / 2, 1, 2
2 2, 1 / 2, 1, 2
3 9, 1 / 9, 1, 9
4 20, 5 / 20, 5, 4
5 12, 4 / 12, 4, 3
6 4, 1 / 4, 1, 4
7 15, 5 / 15, 5, 3
8 12, 2 / 12, 2, 6
9 21, 7 / 21, 7, 3
10 10, 2 / 10, 2, 5
11 12, 10 / 12, 10, $\frac{12}{10}\left(=\frac{6}{5}\right)$
12 40, 24 / 40, 24, $\frac{40}{24}\left(=\frac{5}{3}\right)$
13 6, 7 / 6, 7, $\frac{6}{7}$
14 21, 16 / 21, 16, $\frac{21}{16}$
15 6, 5 / 6, 5, $\frac{6}{5}$
16 7, 6 / 7, 6, $\frac{7}{6}$
17 36, 35 / 36, 35, $\frac{36}{35}$
18 45, 22 / 45, 22, $\frac{45}{22}$
19 20, 27 / 20, 27, $\frac{20}{27}$
20 9, 20 / 9, 20, $\frac{9}{20}$
21 15, 22 / 15, 22, $\frac{15}{22}$
22 35, 24 / 35, 24, $\frac{35}{24}$

16~17쪽 연습 ❷

1 8
2 2
3 3
4 $\frac{40}{21}\left(=1\frac{19}{21}\right)$
5 $\frac{35}{36}$
6 $\frac{48}{35}\left(=1\frac{13}{35}\right)$
7 $\frac{40}{27}\left(=1\frac{13}{27}\right)$
8 $\frac{4}{3}\left(=1\frac{1}{3}\right)$
9 $\frac{15}{14}\left(=1\frac{1}{14}\right)$
10 $\frac{27}{16}\left(=1\frac{11}{16}\right)$
11 $\frac{5}{4}\left(=1\frac{1}{4}\right)$
12 $\frac{21}{8}\left(=2\frac{5}{8}\right)$
13 $\frac{35}{39}$
14 $\frac{27}{32}$
15 $\frac{63}{50}\left(=1\frac{13}{50}\right)$
16 $\frac{19}{15}\left(=1\frac{4}{15}\right)$
17 $\frac{16}{5}\left(=3\frac{1}{5}\right)$
18 $\frac{96}{91}\left(=1\frac{5}{91}\right)$
19 $\frac{81}{44}\left(=1\frac{37}{44}\right)$
20 $\frac{21}{10}\left(=2\frac{1}{10}\right)$
21 $\frac{9}{8}\left(=1\frac{1}{8}\right)$
22 $\frac{8}{21}$
23 $\frac{40}{21}\left(=1\frac{19}{21}\right)$
24 $\frac{63}{44}\left(=1\frac{19}{44}\right)$
25 $\frac{104}{99}\left(=1\frac{5}{99}\right)$
26 $\frac{65}{22}\left(=2\frac{21}{22}\right)$
27 $\frac{14}{9}\left(=1\frac{5}{9}\right)$
28 $\frac{13}{8}\left(=1\frac{5}{8}\right)$ / $\frac{13}{8}$배$\left(1\frac{5}{8}\text{배}\right)$

2 $\frac{5}{9} \div \frac{5}{18} = \frac{10}{18} \div \frac{5}{18} = 10 \div 5 = 2$

3 $\frac{4}{7} \div \frac{4}{21} = \frac{12}{21} \div \frac{4}{21} = 12 \div 4 = 3$

23 $\frac{5}{6} \div \frac{7}{16} = \frac{40}{48} \div \frac{21}{48} = 40 \div 21 = \frac{40}{21}\left(=1\frac{19}{21}\right)$

24 $\frac{7}{8} \div \frac{11}{18} = \frac{63}{72} \div \frac{44}{72} = 63 \div 44 = \frac{63}{44}\left(=1\frac{19}{44}\right)$

26 $\frac{5}{11} \div \frac{2}{13} = \frac{65}{143} \div \frac{22}{143} = 65 \div 22 = \frac{65}{22}\left(=2\frac{21}{22}\right)$

27 $\frac{7}{10} \div \frac{9}{20} = \frac{14}{20} \div \frac{9}{20} = 14 \div 9 = \frac{14}{9}\left(=1\frac{5}{9}\right)$

28 (지웅이가 캔 고구마 양)÷(영후가 캔 고구마 양)

$=\frac{13}{20} \div \frac{2}{5} = \frac{13}{20} \div \frac{8}{20}$

$=13 \div 8 = \frac{13}{8}\left(=1\frac{5}{8}\right)$(배)

18~19쪽 적용 ❷

1 2
2 2
3 $\frac{28}{15}\left(=1\frac{13}{15}\right)$
4 $\frac{40}{33}\left(=1\frac{7}{33}\right)$
5 $\frac{9}{4}\left(=2\frac{1}{4}\right)$
6 $\frac{16}{15}\left(=1\frac{1}{15}\right)$
7 $\frac{28}{15}\left(=1\frac{13}{15}\right)$
8 $\frac{40}{21}\left(=1\frac{19}{21}\right)$
9 $\frac{20}{21}$
10 $\frac{25}{14}\left(=1\frac{11}{14}\right)$
11 $\frac{72}{77}$
12 $\frac{56}{39}\left(=1\frac{17}{39}\right)$
13 $\frac{9}{10}$
14 $\frac{25}{8}\left(=3\frac{1}{8}\right)$
15 $\frac{40}{33}\left(=1\frac{7}{33}\right)$
16 $\frac{35}{18}\left(=1\frac{17}{18}\right)$

1 $\frac{9}{10}\div\frac{9}{20}=\frac{18}{20}\div\frac{9}{20}=18\div9=2$

2 $\frac{5}{8}\div\frac{5}{16}=\frac{10}{16}\div\frac{5}{16}=10\div5=2$

4 $\frac{10}{11}\div\frac{3}{4}=\frac{40}{44}\div\frac{33}{44}=40\div33=\frac{40}{33}\left(=1\frac{7}{33}\right)$

5 $\frac{1}{4}\div\frac{1}{9}=\frac{9}{36}\div\frac{4}{36}=9\div4=\frac{9}{4}\left(=2\frac{1}{4}\right)$

6 $\frac{2}{3}\div\frac{5}{8}=\frac{16}{24}\div\frac{15}{24}=16\div15=\frac{16}{15}\left(=1\frac{1}{15}\right)$

7 $\frac{7}{9}\div\frac{5}{12}=\frac{28}{36}\div\frac{15}{36}=28\div15=\frac{28}{15}\left(=1\frac{13}{15}\right)$

8 $\frac{4}{7}\div\frac{3}{10}=\frac{40}{70}\div\frac{21}{70}=40\div21=\frac{40}{21}\left(=1\frac{19}{21}\right)$

10 $\frac{5}{7}\div\frac{2}{5}=\frac{25}{35}\div\frac{14}{35}=25\div14=\frac{25}{14}\left(=1\frac{11}{14}\right)$

11 $\frac{9}{11}\div\frac{7}{8}=\frac{72}{88}\div\frac{77}{88}=72\div77=\frac{72}{77}$

12 $\frac{8}{13}\div\frac{3}{7}=\frac{56}{91}\div\frac{39}{91}=56\div39=\frac{56}{39}\left(=1\frac{17}{39}\right)$

13 $\frac{3}{4}\div\frac{5}{6}=\frac{9}{12}\div\frac{10}{12}=9\div10=\frac{9}{10}$

14 $\frac{5}{8}\div\frac{1}{5}=\frac{25}{40}\div\frac{8}{40}=25\div8=\frac{25}{8}\left(=3\frac{1}{8}\right)$

15 $\frac{4}{9}\div\frac{11}{30}=\frac{40}{90}\div\frac{33}{90}=40\div33=\frac{40}{33}\left(=1\frac{7}{33}\right)$

16 $\frac{7}{12}\div\frac{3}{10}=\frac{35}{60}\div\frac{18}{60}=35\div18=\frac{35}{18}\left(=1\frac{17}{18}\right)$

20~21쪽 원리 ❸

1 3, 3, 5, 5
2 6, 3, 8, 16
3 9, 3, 7, 21
4 5, 5, 9, 9
5 12, 2, 7, 42
6 4, 2, 3, 6
7 8, 4, 9, 18
8 10, 5, 11, 22
9 7, 7, 8, 8
10 9, 3, 5, 15
11 8, 4, 11, 22
12 15, 3, 10, 50
13 18, 2, 3, 27
14 12, 3, 4, 16
15 14, 7, 9, 18
16 10, 2, 5, 25
17 20, 5, 11, 44
18 16, 4, 13, 52
19 28, 7, 15, 60
20 15, 5, 7, 21
21 18, 9, 10, 20
22 21, 7, 15, 45
23 22, 2, 3, 33
24 25, 5, 14, 70
25 28, 4, 5, 35
26 30, 6, 7, 35

22~23쪽 연습 ❸

1 6
2 9
3 36
4 24
5 14
6 44
7 26
8 35
9 20
10 81
11 30
12 39
13 30
14 28
15 60
16 30
17 105
18 85
19 36
20 56
21 102
22 55
23 77
24 65
25 90
26 84
27 60
28 147
29 24 / 24도막

22 $40\div\frac{8}{11}=(40\div8)\times11=55$

23 $42\div\frac{6}{11}=(42\div6)\times11=77$

24 $45\div\frac{9}{13}=(45\div9)\times13=65$

25 $48\div\frac{8}{15}=(48\div8)\times15=90$

26 $49\div\frac{7}{12}=(49\div7)\times12=84$

27 $54\div\frac{9}{10}=(54\div9)\times10=60$

28 $56\div\frac{8}{21}=(56\div8)\times21=147$

29 (자른 나무 막대의 수)
$=$(나무 막대의 전체 길이)$\div$(나무 한 도막의 길이)
$=15\div\frac{5}{8}=(15\div5)\times8=24$(도막)

24~25쪽 적용 ❸

1	54	**8**	63
2	30	**9**	10, 45
3	56	**10**	21, 56
4	88	**11**	39, 65
5	36	**12**	33, 77
6	91	**13**	75, 120
7	65	**14**	36, 63

1 $12\div\frac{2}{9}=(12\div2)\times9=54$

2 $16\div\frac{8}{15}=(16\div8)\times15=30$

3 $24\div\frac{3}{7}=(24\div3)\times7=56$

4 $32\div\frac{4}{11}=(32\div4)\times11=88$

5 $15\div\frac{5}{12}=(15\div5)\times12=36$

6 $21\div\frac{3}{13}=(21\div3)\times13=91$

7 $26\div\frac{2}{5}=(26\div2)\times5=65$

8 $36\div\frac{4}{7}=(36\div4)\times7=63$

9 $8\div\frac{4}{5}=(8\div4)\times5=10$
$36\div\frac{4}{5}=(36\div4)\times5=45$

10 $18\div\frac{6}{7}=(18\div6)\times7=21$
$48\div\frac{6}{7}=(48\div6)\times7=56$

11 $24\div\frac{8}{13}=(24\div8)\times13=39$
$40\div\frac{8}{13}=(40\div8)\times13=65$

12 $27\div\frac{9}{11}=(27\div9)\times11=33$
$63\div\frac{9}{11}=(63\div9)\times11=77$

13 $10\div\frac{2}{15}=(10\div2)\times15=75$
$16\div\frac{2}{15}=(16\div2)\times15=120$

14 $20\div\frac{5}{9}=(20\div5)\times9=36$
$35\div\frac{5}{9}=(35\div5)\times9=63$

26~27쪽 원리 ❹

1	$\frac{5}{3}$, $\frac{10}{9}$	**13**	$\frac{11}{7}$, $\frac{55}{63}$
2	$\frac{7}{2}$, $\frac{7}{12}$	**14**	$\frac{5}{2}$, $\frac{25}{26}$
3	$\frac{5}{4}$, $\frac{15}{28}$	**15**	$\frac{8}{5}$, $\frac{24}{20}\left(=\frac{6}{5}\right)$
4	$\frac{4}{3}$, $\frac{16}{27}$	**16**	$\frac{7}{5}$, $\frac{21}{25}$
5	$\frac{9}{7}$, $\frac{36}{35}$	**17**	$\frac{13}{2}$, $\frac{52}{14}\left(=\frac{26}{7}\right)$
6	$\frac{3}{2}$, $\frac{15}{14}$	**18**	$\frac{10}{7}$, $\frac{10}{21}$
7	$\frac{8}{3}$, $\frac{16}{27}$	**19**	$\frac{16}{5}$, $\frac{32}{25}$
8	$\frac{5}{4}$, $\frac{5}{16}$	**20**	$\frac{9}{8}$, $\frac{63}{64}$
9	$\frac{7}{2}$, $\frac{49}{16}$	**21**	$\frac{10}{7}$, $\frac{50}{77}$
10	$\frac{4}{3}$, $\frac{32}{27}$	**22**	$\frac{9}{4}$, $\frac{99}{56}$
11	$\frac{7}{5}$, $\frac{21}{50}$	**23**	$\frac{6}{5}$, $\frac{54}{50}\left(=\frac{27}{25}\right)$
12	$\frac{5}{4}$, $\frac{25}{32}$	**24**	$\frac{7}{2}$, $\frac{49}{24}$

28～29쪽 연습 ❹

1 $\frac{16}{9}\left(=1\frac{7}{9}\right)$

2 $\frac{14}{27}$

3 $\frac{18}{25}$

4 $\frac{35}{32}\left(=1\frac{3}{32}\right)$

5 $\frac{5}{12}$

6 $\frac{40}{63}$

7 $\frac{16}{21}$

8 $\frac{30}{45}\left(=\frac{2}{3}\right)$

9 $\frac{44}{27}\left(=1\frac{17}{27}\right)$

10 $\frac{39}{40}$

11 $\frac{48}{35}\left(=1\frac{13}{35}\right)$

12 $\frac{45}{16}\left(=2\frac{13}{16}\right)$

13 $\frac{65}{42}\left(=1\frac{23}{42}\right)$

14 $\frac{88}{45}\left(=1\frac{43}{45}\right)$

15 $\frac{65}{21}\left(=3\frac{2}{21}\right)$

16 $\frac{105}{56}\left(=1\frac{7}{8}\right)$

17 $\frac{20}{27}$

18 $\frac{63}{22}\left(=2\frac{19}{22}\right)$

19 $\frac{42}{60}\left(=\frac{7}{10}\right)$

20 $\frac{70}{51}\left(=1\frac{19}{51}\right)$

21 $\frac{99}{80}\left(=1\frac{19}{80}\right)$

22 $\frac{21}{20}\left(=1\frac{1}{20}\right)$

23 $\frac{81}{28}\left(=2\frac{25}{28}\right)$

24 $\frac{65}{72}$

25 $\frac{28}{30}\left(=\frac{14}{15}\right)$

26 $\frac{104}{75}\left(=1\frac{29}{75}\right)$

27 $\frac{99}{160}$

28 $\frac{65}{80}\left(=\frac{13}{16}\right)$ / $\frac{65}{80}$ m$\left(\frac{13}{16}\text{ m}\right)$

23 $\frac{9}{14}\div\frac{2}{9}=\frac{9}{14}\times\frac{9}{2}=\frac{81}{28}\left(=2\frac{25}{28}\right)$

24 $\frac{13}{18}\div\frac{4}{5}=\frac{13}{18}\times\frac{5}{4}=\frac{65}{72}$

25 $\frac{7}{10}\div\frac{3}{4}=\frac{7}{10}\times\frac{4}{3}=\frac{28}{30}\left(=\frac{14}{15}\right)$

26 $\frac{13}{15}\div\frac{5}{8}=\frac{13}{15}\times\frac{8}{5}=\frac{104}{75}\left(=1\frac{29}{75}\right)$

27 $\frac{9}{20}\div\frac{8}{11}=\frac{9}{20}\times\frac{11}{8}=\frac{99}{160}$

28 (직사각형의 가로)
=(넓이)÷(세로)
$=\frac{13}{20}\div\frac{4}{5}=\frac{13}{20}\times\frac{5}{4}=\frac{65}{80}\left(=\frac{13}{16}\right)$(m)

30～31쪽 적용 ❹

1 $\frac{77}{80}$

2 $\frac{18}{35}$

3 $\frac{99}{26}\left(=3\frac{21}{26}\right)$

4 $\frac{44}{81}$

5 $\frac{33}{34}$

6 $\frac{56}{65}$

7 $\frac{64}{105}$

8 $\frac{36}{48}\left(=\frac{3}{4}\right)$

9 $\frac{34}{45}$, $\frac{80}{33}\left(=2\frac{14}{33}\right)$

10 $\frac{117}{112}\left(=1\frac{5}{112}\right)$, $\frac{55}{51}\left(=1\frac{4}{51}\right)$

11 $\frac{65}{84}$, $\frac{99}{104}$

12 $\frac{80}{57}\left(=1\frac{23}{57}\right)$, $\frac{119}{40}\left(=2\frac{39}{40}\right)$

13 $\frac{24}{45}\left(=\frac{8}{15}\right)$, $\frac{125}{34}\left(=3\frac{23}{34}\right)$

14 $\frac{49}{48}\left(=1\frac{1}{48}\right)$, $\frac{63}{110}$

3 $\frac{9}{13}\div\frac{2}{11}=\frac{9}{13}\times\frac{11}{2}=\frac{99}{26}\left(=3\frac{21}{26}\right)$

4 $\frac{4}{9}\div\frac{9}{11}=\frac{4}{9}\times\frac{11}{9}=\frac{44}{81}$

5 $\frac{11}{17}\div\frac{2}{3}=\frac{11}{17}\times\frac{3}{2}=\frac{33}{34}$

6 $\frac{4}{5}\div\frac{13}{14}=\frac{4}{5}\times\frac{14}{13}=\frac{56}{65}$

7 $\frac{8}{15}\div\frac{7}{8}=\frac{8}{15}\times\frac{8}{7}=\frac{64}{105}$

8 $\frac{9}{16}\div\frac{3}{4}=\frac{9}{16}\times\frac{4}{3}=\frac{36}{48}\left(=\frac{3}{4}\right)$

10 $\frac{13}{16}\div\frac{7}{9}=\frac{13}{16}\times\frac{9}{7}=\frac{117}{112}\left(=1\frac{5}{112}\right)$
$\frac{11}{17}\div\frac{3}{5}=\frac{11}{17}\times\frac{5}{3}=\frac{55}{51}\left(=1\frac{4}{51}\right)$

11 $\frac{5}{7}\div\frac{12}{13}=\frac{5}{7}\times\frac{13}{12}=\frac{65}{84}$

$\frac{9}{13}\div\frac{8}{11}=\frac{9}{13}\times\frac{11}{8}=\frac{99}{104}$

12 $\frac{16}{19}\div\frac{3}{5}=\frac{16}{19}\times\frac{5}{3}=\frac{80}{57}\left(=1\frac{23}{57}\right)$

$\frac{17}{20}\div\frac{2}{7}=\frac{17}{20}\times\frac{7}{2}=\frac{119}{40}\left(=2\frac{39}{40}\right)$

13 $\frac{4}{9}\div\frac{5}{6}=\frac{4}{9}\times\frac{6}{5}=\frac{24}{45}\left(=\frac{8}{15}\right)$

$\frac{5}{17}\div\frac{2}{25}=\frac{5}{17}\times\frac{25}{2}=\frac{125}{34}\left(=3\frac{23}{34}\right)$

14 $\frac{7}{8}\div\frac{6}{7}=\frac{7}{8}\times\frac{7}{6}=\frac{49}{48}\left(=1\frac{1}{48}\right)$

$\frac{7}{22}\div\frac{5}{9}=\frac{7}{22}\times\frac{9}{5}=\frac{63}{110}$

32~33쪽 원리 ❺

1 15, 8 / 15, 8, $\frac{15}{8}$

2 32, 21 / 32, 21, $\frac{32}{21}$

3 21, 5 / 21, 5, $\frac{21}{5}$

4 36, 15 / 36, 15, $\frac{36}{15}\left(=\frac{12}{5}\right)$

5 85, 4 / 85, 4, $\frac{85}{4}$

6 13, 4 / 13, 4, $\frac{13}{4}$

7 135, 16 / 135, 16, $\frac{135}{16}$

8 99, 32 / 99, 32, $\frac{99}{32}$

9 $\frac{9}{4}$, $\frac{27}{8}$

10 $\frac{9}{2}$, $\frac{63}{12}\left(=\frac{21}{4}\right)$

11 $\frac{5}{2}$, $\frac{45}{8}$

12 $\frac{7}{4}$, $\frac{63}{32}$

13 $\frac{10}{7}$, $\frac{80}{21}$

14 $\frac{5}{4}$, $\frac{25}{16}$

15 $\frac{7}{2}$, $\frac{42}{10}\left(=\frac{21}{5}\right)$

16 $\frac{6}{5}$, $\frac{72}{25}$

17 $\frac{10}{3}$, $\frac{160}{21}$

18 $\frac{4}{3}$, $\frac{52}{15}$

19 $\frac{6}{5}$, $\frac{66}{15}\left(=\frac{22}{5}\right)$

20 $\frac{7}{6}$, $\frac{119}{36}$

21 $\frac{9}{7}$, $\frac{180}{77}$

22 $\frac{8}{7}$, $\frac{184}{70}\left(=\frac{92}{35}\right)$

34~35쪽 연습 ❺

1 $\frac{27}{10}\left(=2\frac{7}{10}\right)$

2 $\frac{35}{18}\left(=1\frac{17}{18}\right)$

3 $\frac{81}{64}\left(=1\frac{17}{64}\right)$

4 $\frac{45}{14}\left(=3\frac{3}{14}\right)$

5 $\frac{49}{10}\left(=4\frac{9}{10}\right)$

6 $\frac{16}{9}\left(=1\frac{7}{9}\right)$

7 $\frac{35}{16}\left(=2\frac{3}{16}\right)$

8 $\frac{88}{21}\left(=4\frac{4}{21}\right)$

9 $\frac{65}{36}\left(=1\frac{29}{36}\right)$

10 $\frac{98}{25}\left(=3\frac{23}{25}\right)$

11 $\frac{51}{16}\left(=3\frac{3}{16}\right)$

12 $\frac{80}{21}\left(=3\frac{17}{21}\right)$

13 $\frac{135}{16}\left(=8\frac{7}{16}\right)$

14 $\frac{147}{20}\left(=7\frac{7}{20}\right)$

15 $\frac{105}{8}\left(=13\frac{1}{8}\right)$

16 $\frac{88}{30}\left(=2\frac{14}{15}\right)$

17 $\frac{171}{28}\left(=6\frac{3}{28}\right)$

18 $\frac{112}{10}\left(=11\frac{1}{5}\right)$

19 $\frac{60}{45}\left(=1\frac{1}{3}\right)$

20 $\frac{112}{15}\left(=7\frac{7}{15}\right)$

21 $\frac{65}{8}\left(=8\frac{1}{8}\right)$

22 $\frac{68}{6}\left(=11\frac{1}{3}\right)$

23 $\frac{117}{32}\left(=3\frac{21}{32}\right)$

24 $\frac{69}{12}\left(=5\frac{3}{4}\right)$

25 $\frac{147}{25}\left(=5\frac{22}{25}\right)$

26 $\frac{110}{27}\left(=4\frac{2}{27}\right)$

27 $\frac{160}{91}\left(=1\frac{69}{91}\right)$

28 $\frac{75}{44}\left(=1\frac{31}{44}\right)$

29 $\frac{50}{21}\left(=2\frac{8}{21}\right)$ / $\frac{50}{21}$배$\left(2\frac{8}{21}\text{배}\right)$

25 $\frac{21}{5}\div\frac{5}{7}=\frac{147}{35}\div\frac{25}{35}$

$=147\div25=\frac{147}{25}\left(=5\frac{22}{25}\right)$

26 $\frac{10}{3}\div\frac{9}{11}=\frac{10}{3}\times\frac{11}{9}=\frac{110}{27}\left(=4\frac{2}{27}\right)$

27 $\frac{20}{13}\div\frac{7}{8}=\frac{20}{13}\times\frac{8}{7}=\frac{160}{91}\left(=1\frac{69}{91}\right)$

28 $\frac{15}{11}\div\frac{4}{5}=\frac{15}{11}\times\frac{5}{4}=\frac{75}{44}\left(=1\frac{31}{44}\right)$

29 (재희가 마신 물 양)÷(민지가 마신 물 양)

$=\frac{5}{3}\div\frac{7}{10}=\frac{5}{3}\times\frac{10}{7}=\frac{50}{21}\left(=2\frac{8}{21}\right)$(배)

36~37쪽 **적용 5**

1 $\frac{81}{14}\left(=5\frac{11}{14}\right)$

2 $\frac{35}{6}\left(=5\frac{5}{6}\right)$

3 $\frac{66}{35}\left(=1\frac{31}{35}\right)$

4 $\frac{64}{15}\left(=4\frac{4}{15}\right)$

5 $\frac{39}{16}\left(=2\frac{7}{16}\right)$

6 $\frac{133}{27}\left(=4\frac{25}{27}\right)$

7 $\frac{168}{20}\left(=8\frac{2}{5}\right)$

8 $\frac{105}{44}\left(=2\frac{17}{44}\right)$

9 $\frac{24}{15}\left(=1\frac{3}{5}\right)$

10 $\frac{56}{6}\left(=9\frac{1}{3}\right)$

11 $\frac{80}{28}\left(=2\frac{6}{7}\right)$

12 $\frac{69}{16}\left(=4\frac{5}{16}\right)$

13 $\frac{154}{54}\left(=2\frac{23}{27}\right)$

14 $\frac{145}{12}\left(=12\frac{1}{12}\right)$

15 $\frac{124}{15}\left(=8\frac{4}{15}\right)$

16 $\frac{117}{40}\left(=2\frac{37}{40}\right)$

1 $\frac{9}{2}\div\frac{7}{9}=\frac{81}{18}\div\frac{14}{18}=81\div14=\frac{81}{14}\left(=5\frac{11}{14}\right)$

2 $\frac{7}{3}\div\frac{2}{5}=\frac{35}{15}\div\frac{6}{15}=35\div6=\frac{35}{6}\left(=5\frac{5}{6}\right)$

3 $\frac{11}{7}\div\frac{5}{6}=\frac{11}{7}\times\frac{6}{5}=\frac{66}{35}\left(=1\frac{31}{35}\right)$

4 $\frac{16}{5}\div\frac{3}{4}=\frac{16}{5}\times\frac{4}{3}=\frac{64}{15}\left(=4\frac{4}{15}\right)$

5 $\frac{13}{8}\div\frac{2}{3}=\frac{13}{8}\times\frac{3}{2}=\frac{39}{16}\left(=2\frac{7}{16}\right)$

6 $\frac{19}{9}\div\frac{3}{7}=\frac{19}{9}\times\frac{7}{3}=\frac{133}{27}\left(=4\frac{25}{27}\right)$

7 $\frac{21}{4}\div\frac{5}{8}=\frac{21}{4}\times\frac{8}{5}=\frac{168}{20}\left(=8\frac{2}{5}\right)$

8 $\frac{15}{11}\div\frac{4}{7}=\frac{15}{11}\times\frac{7}{4}=\frac{105}{44}\left(=2\frac{17}{44}\right)$

9 $\frac{4}{3}\div\frac{5}{6}=\frac{4}{3}\times\frac{6}{5}=\frac{24}{15}\left(=1\frac{3}{5}\right)$

10 $\frac{7}{2}\div\frac{3}{8}=\frac{7}{2}\times\frac{8}{3}=\frac{56}{6}\left(=9\frac{1}{3}\right)$

11 $\frac{16}{7}\div\frac{4}{5}=\frac{16}{7}\times\frac{5}{4}=\frac{80}{28}\left(=2\frac{6}{7}\right)$

12 $\frac{23}{8}\div\frac{2}{3}=\frac{23}{8}\times\frac{3}{2}=\frac{69}{16}\left(=4\frac{5}{16}\right)$

13 $\frac{22}{9}\div\frac{6}{7}=\frac{22}{9}\times\frac{7}{6}=\frac{154}{54}\left(=2\frac{23}{27}\right)$

14 $\frac{29}{6}\div\frac{2}{5}=\frac{29}{6}\times\frac{5}{2}=\frac{145}{12}\left(=12\frac{1}{12}\right)$

15 $\frac{31}{5}\div\frac{3}{4}=\frac{31}{5}\times\frac{4}{3}=\frac{124}{15}\left(=8\frac{4}{15}\right)$

16 $\frac{13}{10}\div\frac{4}{9}=\frac{13}{10}\times\frac{9}{4}=\frac{117}{40}\left(=2\frac{37}{40}\right)$

38~39쪽 **원리 6**

1 7, 49, 15 / 49, 15, $\frac{49}{15}$

2 9, 36, 5 / 36, 5, $\frac{36}{5}$

3 8, 40, 6 / 40, 6, $\frac{40}{6}\left(=\frac{20}{3}\right)$

4 15, 45, 8 / 45, 8, $\frac{45}{8}$

5 5, 15, 2 / 15, 2, $\frac{15}{2}$

6 5, 10, 3 / 10, 3, $\frac{10}{3}$

7 17, 85, 18 / 85, 18, $\frac{85}{18}$

8 11, 66, 35 / 66, 35, $\frac{66}{35}$

9 11 / $\frac{11}{5}$, $\frac{9}{4}$, $\frac{99}{20}$

10 7 / $\frac{7}{2}$, $\frac{7}{5}$, $\frac{49}{10}$

11 11 / $\frac{11}{4}$, $\frac{3}{2}$, $\frac{33}{8}$

12 15 / $\frac{15}{8}$, $\frac{5}{3}$, $\frac{75}{24}\left(=\frac{25}{8}\right)$

13 16 / $\frac{16}{3}$, $\frac{6}{5}$, $\frac{96}{15}\left(=\frac{32}{5}\right)$

14 13 / $\frac{13}{4}$, $\frac{8}{5}$, $\frac{104}{20}\left(=\frac{26}{5}\right)$

15 11 / $\frac{11}{6}$, $\frac{9}{7}$, $\frac{99}{42}\left(=\frac{33}{14}\right)$

16 30 / $\frac{30}{7}$, $\frac{4}{3}$, $\frac{120}{21}\left(=\frac{40}{7}\right)$

17 23 / $\frac{23}{10}$, $\frac{5}{4}$, $\frac{115}{40}\left(=\frac{23}{8}\right)$

18 16 / $\frac{16}{11}$, $\frac{7}{4}$, $\frac{112}{44}\left(=\frac{28}{11}\right)$

40~41쪽 연습 6

1 $\frac{99}{15}\left(=6\frac{3}{5}\right)$

2 $\frac{60}{45}\left(=1\frac{1}{3}\right)$

3 $\frac{81}{40}\left(=2\frac{1}{40}\right)$

4 $\frac{90}{14}\left(=6\frac{3}{7}\right)$

5 $\frac{99}{49}\left(=2\frac{1}{49}\right)$

6 $\frac{52}{15}\left(=3\frac{7}{15}\right)$

7 $\frac{115}{14}\left(=8\frac{3}{14}\right)$

8 $\frac{55}{18}\left(=3\frac{1}{18}\right)$

9 $\frac{63}{15}\left(=4\frac{1}{5}\right)$

10 $\frac{88}{20}\left(=4\frac{2}{5}\right)$

11 $\frac{100}{36}\left(=2\frac{7}{9}\right)$

12 $\frac{175}{48}\left(=3\frac{31}{48}\right)$

13 $\frac{96}{33}\left(=2\frac{10}{11}\right)$

14 $\frac{189}{40}\left(=4\frac{29}{40}\right)$

15 $\frac{170}{9}\left(=18\frac{8}{9}\right)$

16 $\frac{189}{64}\left(=2\frac{61}{64}\right)$

17 $\frac{104}{14}\left(=7\frac{3}{7}\right)$

18 $\frac{165}{20}\left(=8\frac{1}{4}\right)$

19 $\frac{120}{65}\left(=1\frac{11}{13}\right)$

20 $\frac{165}{14}\left(=11\frac{11}{14}\right)$

21 $\frac{200}{27}\left(=7\frac{11}{27}\right)$

22 $\frac{154}{10}\left(=15\frac{2}{5}\right)$

23 $\frac{185}{16}\left(=11\frac{9}{16}\right)$

24 $\frac{112}{55}\left(=2\frac{2}{55}\right)$

25 $\frac{95}{12}\left(=7\frac{11}{12}\right)$

26 $\frac{153}{12}\left(=12\frac{3}{4}\right)$

27 $\frac{200}{21}\left(=9\frac{11}{21}\right)$

28 $\frac{190}{45}\left(=4\frac{2}{9}\right)$ / $\frac{190}{45}$ cm $\left(4\frac{2}{9}\text{ cm}\right)$

24 $1\frac{3}{11}\div\frac{5}{8}=\frac{14}{11}\div\frac{5}{8}=\frac{112}{88}\div\frac{55}{88}$
$=112\div55=\frac{112}{55}\left(=2\frac{2}{55}\right)$

25 $4\frac{3}{4}\div\frac{3}{5}=\frac{19}{4}\times\frac{5}{3}=\frac{95}{12}\left(=7\frac{11}{12}\right)$

26 $5\frac{2}{3}\div\frac{4}{9}=\frac{17}{3}\times\frac{9}{4}=\frac{153}{12}\left(=12\frac{3}{4}\right)$

27 $7\frac{1}{7}\div\frac{3}{4}=\frac{50}{7}\times\frac{4}{3}=\frac{200}{21}\left(=9\frac{11}{21}\right)$

28 (평행사변형의 밑변의 길이)
=(넓이)÷(높이)
$=3\frac{4}{5}\div\frac{9}{10}=\frac{19}{5}\times\frac{10}{9}=\frac{190}{45}\left(=4\frac{2}{9}\right)$(cm)

42~43쪽 적용 6

1 $\frac{130}{9}\left(=14\frac{4}{9}\right)$

2 $\frac{208}{15}\left(=13\frac{13}{15}\right)$

3 $\frac{186}{45}\left(=4\frac{2}{15}\right)$

4 $\frac{78}{30}\left(=2\frac{3}{5}\right)$

5 $\frac{175}{36}\left(=4\frac{31}{36}\right)$

6 $\frac{184}{28}\left(=6\frac{4}{7}\right)$

7 $\frac{99}{16}\left(=6\frac{3}{16}\right)$

8 $\frac{153}{80}\left(=1\frac{73}{80}\right)$

9 $\frac{344}{25}\left(=13\frac{19}{25}\right)$

10 $\frac{161}{9}\left(=17\frac{8}{9}\right)$

11 $\frac{155}{68}\left(=2\frac{19}{68}\right)$

12 $\frac{184}{75}\left(=2\frac{34}{75}\right)$

13 $\frac{207}{14}\left(=14\frac{11}{14}\right)$

14 $\frac{216}{35}\left(=6\frac{6}{35}\right)$

15 $\frac{430}{56}\left(=7\frac{19}{28}\right)$

16 $\frac{225}{22}\left(=10\frac{5}{22}\right)$

1 $8\frac{2}{3}\div\frac{3}{5}=\frac{26}{3}\div\frac{3}{5}=\frac{130}{15}\div\frac{9}{15}$
$=130\div9=\frac{130}{9}\left(=14\frac{4}{9}\right)$

2 $5\frac{1}{5}\div\frac{3}{8}=\frac{26}{5}\div\frac{3}{8}=\frac{208}{40}\div\frac{15}{40}$
$=208\div15=\frac{208}{15}\left(=13\frac{13}{15}\right)$

3 $3\frac{4}{9}\div\frac{5}{6}=\frac{31}{9}\times\frac{6}{5}=\frac{186}{45}\left(=4\frac{2}{15}\right)$

4 $1\frac{11}{15}\div\frac{2}{3}=\frac{26}{15}\times\frac{3}{2}=\frac{78}{30}\left(=2\frac{3}{5}\right)$

5 $2\frac{7}{9}\div\frac{4}{7}=\frac{25}{9}\times\frac{7}{4}=\frac{175}{36}\left(=4\frac{31}{36}\right)$

6 $5\frac{3}{4}\div\frac{7}{8}=\frac{23}{4}\times\frac{8}{7}=\frac{184}{28}\left(=6\frac{4}{7}\right)$

7 $4\frac{1}{2}\div\frac{8}{11}=\frac{9}{2}\times\frac{11}{8}=\frac{99}{16}\left(=6\frac{3}{16}\right)$

8 $1\frac{7}{10}\div\frac{8}{9}=\frac{17}{10}\times\frac{9}{8}=\frac{153}{80}\left(=1\frac{73}{80}\right)$

9 $8\frac{3}{5}\div\frac{5}{8}=\frac{43}{5}\times\frac{8}{5}=\frac{344}{25}\left(=13\frac{19}{25}\right)$

10 $7\frac{2}{3}\div\frac{3}{7}=\frac{23}{3}\times\frac{7}{3}=\frac{161}{9}\left(=17\frac{8}{9}\right)$

11 $1\frac{14}{17}\div\frac{4}{5}=\frac{31}{17}\times\frac{5}{4}=\frac{155}{68}\left(=2\frac{19}{68}\right)$

12 $1\frac{21}{25}\div\frac{3}{4}=\frac{46}{25}\times\frac{4}{3}=\frac{184}{75}\left(=2\frac{34}{75}\right)$

13 $9\frac{6}{7}\div\frac{2}{3}=\frac{69}{7}\times\frac{3}{2}=\frac{207}{14}\left(=14\frac{11}{14}\right)$

14 $5\frac{1}{7}\div\frac{5}{6}=\frac{36}{7}\times\frac{6}{5}=\frac{216}{35}\left(=6\frac{6}{35}\right)$

15 $5\frac{3}{8}\div\frac{7}{10}=\frac{43}{8}\times\frac{10}{7}=\frac{430}{56}\left(=7\frac{19}{28}\right)$

16 $2\frac{3}{11}\div\frac{2}{9}=\frac{25}{11}\times\frac{9}{2}=\frac{225}{22}\left(=10\frac{5}{22}\right)$

44~45쪽 원리 ❼

1 14, 7 / 28, 21 / 28, 21, $\frac{28}{21}\left(=\frac{4}{3}\right)$

2 24, 7 / 96, 49 / 96, 49, $\frac{96}{49}$

3 5, 21 / 25, 21 / 25, 21, $\frac{25}{21}$

4 10, 9 / 70, 27 / 70, 27, $\frac{70}{27}$

5 9, 17 / 27, 68 / 27, 68, $\frac{27}{68}$

6 13, 11 / 65, 88 / 65, 88, $\frac{65}{88}$

7 11, 9 / $\frac{11}{4}$, $\frac{5}{9}$, $\frac{55}{36}$

8 21, 10 / $\frac{21}{8}$, $\frac{7}{10}$, $\frac{147}{80}$

9 15, 13 / $\frac{15}{11}$, $\frac{9}{13}$, $\frac{135}{143}$

10 14, 15 / $\frac{14}{3}$, $\frac{4}{15}$, $\frac{56}{45}$

11 20, 16 / $\frac{20}{3}$, $\frac{9}{16}$, $\frac{180}{48}\left(=\frac{15}{4}\right)$

12 13, 11 / $\frac{13}{5}$, $\frac{10}{11}$, $\frac{130}{55}\left(=\frac{26}{11}\right)$

13 11, 11 / $\frac{11}{2}$, $\frac{3}{11}$, $\frac{33}{22}\left(=\frac{3}{2}\right)$

14 40, 5 / $\frac{40}{7}$, $\frac{4}{5}$, $\frac{160}{35}\left(=\frac{32}{7}\right)$

15 7, 11 / $\frac{7}{3}$, $\frac{6}{11}$, $\frac{42}{33}\left(=\frac{14}{11}\right)$

16 23, 14 / $\frac{23}{6}$, $\frac{5}{14}$, $\frac{115}{84}$

46~47쪽 연습 ❼

1 $\frac{9}{8}\left(=1\frac{1}{8}\right)$

2 $\frac{70}{39}\left(=1\frac{31}{39}\right)$

3 $\frac{189}{80}\left(=2\frac{29}{80}\right)$

4 $\frac{51}{96}\left(=\frac{17}{32}\right)$

5 $\frac{64}{63}\left(=1\frac{1}{63}\right)$

6 $\frac{270}{152}\left(=1\frac{59}{76}\right)$

7 $\frac{39}{176}$

8 $\frac{50}{35}\left(=1\frac{3}{7}\right)$

9 $\frac{114}{88}\left(=1\frac{13}{44}\right)$

10 $\frac{57}{42}\left(=1\frac{5}{14}\right)$

11 $\frac{99}{32}\left(=3\frac{3}{32}\right)$

12 $\frac{45}{44}\left(=1\frac{1}{44}\right)$

13 $\frac{114}{77}\left(=1\frac{37}{77}\right)$

14 $\frac{117}{112}\left(=1\frac{5}{112}\right)$

15 $\frac{120}{35}\left(=3\frac{3}{7}\right)$

16 $\frac{110}{66}\left(=1\frac{2}{3}\right)$

17 $\frac{98}{180}\left(=\frac{49}{90}\right)$

18 $\frac{138}{68}\left(=2\frac{1}{34}\right)$

19 $\frac{51}{35}\left(=1\frac{16}{35}\right)$

20 $\frac{200}{162}\left(=1\frac{19}{81}\right)$

21 $\frac{44}{42}\left(=1\frac{1}{21}\right)$

22 $\frac{130}{55}\left(=2\frac{4}{11}\right)$

23 $\frac{117}{132}\left(=\frac{39}{44}\right)$

24 $\frac{64}{39}\left(=1\frac{25}{39}\right)$

25 $\frac{90}{44}\left(=2\frac{1}{22}\right)$

26 $\frac{198}{200}\left(=\frac{99}{100}\right)$

27 $\frac{45}{104}$

28 $\frac{91}{240}$

29 $\frac{190}{68}\left(=2\frac{27}{34}\right)$ / $\frac{190}{68}$ kg $\left(2\frac{27}{34}\text{ kg}\right)$

26 $4\frac{2}{5}\div4\frac{4}{9}=\frac{22}{5}\div\frac{40}{9}=\frac{198}{45}\div\frac{200}{45}$
$=198\div200=\frac{198}{200}\left(=\frac{99}{100}\right)$

27 $1\frac{7}{8}\div4\frac{1}{3}=\frac{15}{8}\times\frac{3}{13}=\frac{45}{104}$

28 $1\frac{3}{10}\div3\frac{3}{7}=\frac{13}{10}\times\frac{7}{24}=\frac{91}{240}$

29 (쇠막대 1 m의 무게)
=(쇠막대의 전체 무게)÷(쇠막대의 전체 길이)
$=4\frac{3}{4}\div1\frac{7}{10}=\frac{19}{4}\times\frac{10}{17}=\frac{190}{68}\left(=2\frac{27}{34}\right)$(kg)

48~49쪽 적용 ❼

1 $\frac{44}{27}\left(=1\frac{17}{27}\right)$

2 $\frac{64}{45}\left(=1\frac{19}{45}\right)$

3 $\frac{245}{54}\left(=4\frac{29}{54}\right)$

4 $\frac{153}{40}\left(=3\frac{33}{40}\right)$

5 $\frac{46}{84}\left(=\frac{23}{42}\right)$

6 $\frac{136}{91}\left(=1\frac{45}{91}\right)$

7 $\frac{217}{80}\left(=2\frac{57}{80}\right)$

8 $\frac{52}{99}$

9 $\frac{105}{64}\left(=1\frac{41}{64}\right)$, $\frac{95}{64}\left(=1\frac{31}{64}\right)$

10 $\frac{46}{63}$, $\frac{92}{33}\left(=2\frac{26}{33}\right)$

11 $\frac{64}{55}\left(=1\frac{9}{55}\right)$, $\frac{50}{42}\left(=1\frac{4}{21}\right)$

12 $\frac{200}{84}\left(=2\frac{8}{21}\right)$, $\frac{144}{130}\left(=1\frac{7}{65}\right)$

13 $\frac{58}{55}\left(=1\frac{3}{55}\right)$, $\frac{120}{49}\left(=2\frac{22}{49}\right)$

14 $\frac{270}{91}\left(=2\frac{88}{91}\right)$, $\frac{76}{26}\left(=2\frac{12}{13}\right)$

1 $3\frac{2}{3}\div2\frac{1}{4}=\frac{11}{3}\div\frac{9}{4}=\frac{44}{12}\div\frac{27}{12}$
$=44\div27=\frac{44}{27}\left(=1\frac{17}{27}\right)$

2 $6\frac{2}{5}\div4\frac{1}{2}=\frac{32}{5}\div\frac{9}{2}=\frac{64}{10}\div\frac{45}{10}$
$=64\div45=\frac{64}{45}\left(=1\frac{19}{45}\right)$

7 $3\frac{7}{8}\div1\frac{3}{7}=\frac{31}{8}\times\frac{7}{10}=\frac{217}{80}\left(=2\frac{57}{80}\right)$

8 $1\frac{4}{9}\div2\frac{3}{4}=\frac{13}{9}\times\frac{4}{11}=\frac{52}{99}$

12 $5\frac{5}{7}\div2\frac{2}{5}=\frac{40}{7}\times\frac{5}{12}=\frac{200}{84}\left(=2\frac{8}{21}\right)$
$3\frac{9}{13}\div3\frac{1}{3}=\frac{48}{13}\times\frac{3}{10}=\frac{144}{130}\left(=1\frac{7}{65}\right)$

13 $5\frac{4}{5}\div5\frac{1}{2}=\frac{29}{5}\times\frac{2}{11}=\frac{58}{55}\left(=1\frac{3}{55}\right)$
$3\frac{3}{7}\div1\frac{2}{5}=\frac{24}{7}\times\frac{5}{7}=\frac{120}{49}\left(=2\frac{22}{49}\right)$

14 $4\frac{2}{7}\div1\frac{4}{9}=\frac{30}{7}\times\frac{9}{13}=\frac{270}{91}\left(=2\frac{88}{91}\right)$
$9\frac{1}{2}\div3\frac{1}{4}=\frac{19}{2}\times\frac{4}{13}=\frac{76}{26}\left(=2\frac{12}{13}\right)$

50~52쪽 평가

1 3

2 3

3 $\frac{5}{2}\left(=2\frac{1}{2}\right)$

4 $\frac{11}{3}\left(=3\frac{2}{3}\right)$

5 $\frac{16}{7}\left(=2\frac{2}{7}\right)$

6 $\frac{9}{20}$

7 $\frac{24}{35}$

8 $\frac{56}{45}\left(=1\frac{11}{45}\right)$

9 $\frac{65}{42}\left(=1\frac{23}{42}\right)$

10 $\frac{52}{21}\left(=2\frac{10}{21}\right)$

11 $\frac{12}{30}\left(=\frac{2}{5}\right)$

12 $\frac{54}{55}$

13 $\frac{35}{24}\left(=1\frac{11}{24}\right)$

14 $\frac{32}{105}$

15 $\frac{90}{91}$

16 $\frac{55}{64}$

17 28

18 18

19 65

20 70

21 $\frac{81}{20}\left(=4\frac{1}{20}\right)$

22 $\frac{55}{8}\left(=6\frac{7}{8}\right)$

23 $\frac{91}{8}\left(=11\frac{3}{8}\right)$

24 $\frac{96}{35}\left(=2\frac{26}{35}\right)$

25 $\frac{56}{15}\left(=3\frac{11}{15}\right)$

26 $\frac{105}{24}\left(=4\frac{3}{8}\right)$

27 $\frac{91}{12}\left(=7\frac{7}{12}\right)$

28 $\frac{207}{20}\left(=10\frac{7}{20}\right)$

29 $\frac{66}{210}\left(=\frac{11}{35}\right)$

30 $\frac{115}{72}\left(=1\frac{43}{72}\right)$

31 $\frac{112}{143}$

32 $\frac{196}{39}\left(=5\frac{1}{39}\right)$

33 $\frac{8}{7}\left(=1\frac{1}{7}\right)$

34 $\frac{45}{44}\left(=1\frac{1}{44}\right)$

35 21

36 66

37 $\frac{99}{98}\left(=1\frac{1}{98}\right)$

38 $\frac{91}{18}\left(=5\frac{1}{18}\right)$

39 $\frac{76}{27}\left(=2\frac{22}{27}\right)$

40 $\frac{110}{51}\left(=2\frac{8}{51}\right)$

34 $\frac{9}{11}\div\frac{4}{5}=\frac{45}{55}\div\frac{44}{55}=45\div44=\frac{45}{44}\left(=1\frac{1}{44}\right)$

36 $48\div\frac{8}{11}=(48\div8)\times11=66$

38 $\frac{13}{6}\div\frac{3}{7}=\frac{13}{6}\times\frac{7}{3}=\frac{91}{18}\left(=5\frac{1}{18}\right)$

40 $7\frac{1}{3}\div3\frac{2}{5}=\frac{22}{3}\times\frac{5}{17}=\frac{110}{51}\left(=2\frac{8}{51}\right)$

2 소수의 나눗셈

54～55쪽 원리 ❶

1
```
        9
0.8)7.2
      7 2
        0
```
2
```
        7
0.5)3.5
      3 5
        0
```
3
```
      1 7
0.2)3.4
      2
      1 4
      1 4
        0
```
4
```
        8
0.6)4.8
      4 8
        0
```
5
```
        4
0.7)2.8
      2 8
        0
```
6
```
      1 5
0.3)4.5
      3
      1 5
      1 5
        0
```
7
```
        6
0.4)2.4
      2 4
        0
```
8
```
        7
0.9)6.3
      6 3
        0
```
9
```
      1 3
0.5)6.5
      5
      1 5
      1 5
        0
```
10
```
        7
0.8)5.6
      5 6
        0
```
11
```
      1 2
0.7)8.4
      7
      1 4
      1 4
        0
```
12
```
      1 9
0.5)9.5
      5
      4 5
      4 5
        0
```
13
```
      3 2
0.2)6.4
      6
        4
        4
        0
```
14
```
      2 6
0.3)7.8
      6
      1 8
      1 8
        0
```
15
```
        2
1.1)2.2
      2 2
        0
```
16
```
      2 4
0.4)9.6
      8
      1 6
      1 6
        0
```
17
```
      2 9
0.3)8.7
      6
      2 7
      2 7
        0
```
18
```
      1 6
0.6)9.6
      6
      3 6
      3 6
        0
```
19
```
      1 3
0.7)9.1
      7
      2 1
      2 1
        0
```
20
```
          8
1.4)1 1.2
      1 1 2
          0
```
21
```
        1 2
2.1)2 5.2
      2 1
        4 2
        4 2
          0
```
22
```
        1 1
1.8)1 9.8
      1 8
        1 8
        1 8
          0
```
23
```
        1 3
2.4)3 1.2
      2 4
        7 2
        7 2
          0
```
24
```
        1 4
1.6)2 2.4
      1 6
        6 4
        6 4
          0
```

56～57쪽 연습 ❶

1 7
2 8
3 15
4 48
5 26
6 93
7 63
8 27
9 56
10 42
11 5
12 16
13 9
14 5
15 33
16 46
17 34
18 44
19 42
20 72
21 8
22 16
23 14
24 13
25 21 / 21도막

58～59쪽 적용 ❶

1 

2 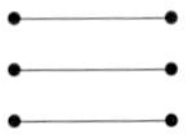

3 

4 

5 

6 

7 

8 

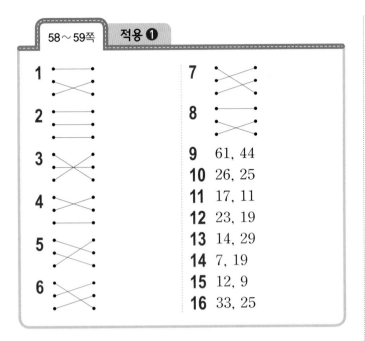

9 61, 44
10 26, 25
11 17, 11
12 23, 19
13 14, 29
14 7, 19
15 12, 9
16 33, 25

1 3.6÷0.4=9
3.5÷0.5=7
1.6÷0.2=8

9 48.8÷0.8=61
26.4÷0.6=44

10 18.2÷0.7=26
22.5÷0.9=25

60～61쪽 원리 ❷

1
```
        3
0.32)0.96
       96
        0
```

2
```
        11
0.15)1.65
      15
       15
       15
        0
```

3
```
        12
0.24)2.88
      24
       48
       48
        0
```

4
```
        5
0.17)0.85
       85
        0
```

5
```
        15
0.21)3.15
      21
      105
      105
        0
```

6
```
        16
0.19)3.04
      19
      114
      114
        0
```

7
```
        3
0.28)0.84
       84
        0
```

8
```
        14
0.38)5.32
      38
      152
      152
        0
```

9
```
        11
0.53)5.83
      53
       53
       53
        0
```

10
```
        3
0.33)0.99
       99
        0
```

11
```
        8
0.14)1.12
      112
        0
```

12
```
        17
0.26)4.42
      26
      182
      182
        0
```

13
```
        14
0.42)5.88
      42
      168
      168
        0
```

14
```
        16
0.62)9.92
      62
      372
      372
        0
```

15
```
        3
0.71)2.13
      213
        0
```

16
```
        9
0.27)2.43
      243
        0
```

17
```
        19
0.34)6.46
      34
      306
      306
        0
```

18
```
        15
0.55)8.25
      55
      275
      275
        0
```

19
```
        16
0.48)7.68
      48
      288
      288
        0
```

20
```
        6
0.39)2.34
      234
        0
```

21
```
        8
0.43)3.44
      344
        0
```

22
```
        13
0.25)3.25
      25
       75
       75
        0
```

23
```
        12
0.51)6.12
      51
      102
      102
        0
```

24
```
        15
0.55)8.25
      55
      275
      275
        0
```

62~63쪽 연습 ❷

1	13	**14**	12
2	4	**15**	9
3	7	**16**	7
4	6	**17**	13
5	13	**18**	14
6	12	**19**	6
7	14	**20**	9
8	21	**21**	8
9	11	**22**	14
10	17	**23**	11
11	13	**24**	13
12	22	**25**	7 / 7 cm
13	15		

64~65쪽 적용 ❷

1	8	**9**	8
2	4	**10**	9
3	9	**11**	3
4	6	**12**	7
5	13	**13**	9
6	12	**14**	9
7	8	**15**	11
8	14	**16**	17

1 1.28÷0.16=8

9 6.72÷0.84=8

66~67쪽 원리 ❸

1
```
          6.3
0.40)2.5 2 0
     2 4 0
       1 2 0
       1 2 0
           0
```

2
```
          2.1
1.80)3.7 8 0
     3 6 0
       1 8 0
       1 8 0
           0
```

3
```
          2.3
1.20)2.7 6 0
     2 4 0
       3 6 0
       3 6 0
           0
```

4
```
        1.3
2.5)3.2 5
    2 5
      7 5
      7 5
        0
```

5
```
        1.7
4.2)7.1 4
    4 2
    2 9 4
    2 9 4
        0
```

6
```
        1.9
3.4)6.4 6
    3 4
    3 0 6
    3 0 6
        0
```

7
```
        1.7
0.6)1.0 2
      6
      4 2
      4 2
        0
```

8
```
        2.5
1.3)3.2 5
    2 6
      6 5
      6 5
        0
```

9
```
        3.5
1.7)5.9 5
    5 1
      8 5
      8 5
        0
```

10
```
        1.6
2.1)3.3 6
    2 1
    1 2 6
    1 2 6
        0
```

11
```
        3.4
2.4)8.1 6
    7 2
      9 6
      9 6
        0
```

12
```
        1.9
3.2)6.0 8
    3 2
    2 8 8
    2 8 8
        0
```

13
```
        2.4
3.6)8.6 4
    7 2
    1 4 4
    1 4 4
        0
```

14
```
        1.7
2.5)4.2 5
    2 5
    1 7 5
    1 7 5
        0
```

15
```
        2.1
1.6)3.3 6
    3 2
      1 6
      1 6
        0
```

16
```
        1.8
2.8)5.0 4
    2 8
    2 2 4
    2 2 4
        0
```

17
```
        1.9
3.5)6.6 5
    3 5
    3 1 5
    3 1 5
        0
```

18
```
        1.7
4.5)7.6 5
    4 5
    3 1 5
    3 1 5
        0
```

68~69쪽 연습 ❸

1	1.6	14	9.4
2	2.2	15	5.1
3	1.9	16	7.4
4	0.9	17	6.1
5	2.3	18	7.2
6	3.5	19	9.8
7	1.2	20	10.5
8	2.5	21	11.1
9	9.2	22	9.9
10	10.1	23	5.6
11	8.1	24	6.2
12	7.9	25	8.5 / 8.5 cm
13	15.5		

70~71쪽 적용 ❸

1	4.5	9	2.8, 3.1
2	8.8	10	2.5, 4.2
3	5.7	11	1.7, 3.5
4	1.3	12	3.2, 5.7
5	2.2	13	6.4, 10.3
6	6.5	14	8.2, 12.2
7	3.3	15	9.6, 10.3
8	5.1	16	8.1, 11.2

1 4.05÷0.9=4.5

9 7.84÷2.8=2.8
8.68÷2.8=3.1

72~73쪽 원리 ❹

1
```
        6
0.5 ) 3.0
      3 0
        0
```

2
```
        5
0.8 ) 4.0
      4 0
        0
```

3
```
       1 5
0.4 ) 6.0
      4
      2 0
      2 0
        0
```

4
```
          8
1.5 ) 1 2.0
      1 2 0
          0
```

5
```
          6
2.5 ) 1 5.0
      1 5 0
          0
```

6
```
        1 5
1.4 ) 2 1.0
      1 4
        7 0
        7 0
          0
```

7
```
        1 5
1.6 ) 2 4.0
      1 6
        8 0
        8 0
          0
```

8
```
        1 5
2.4 ) 3 6.0
      2 4
      1 2 0
      1 2 0
          0
```

9
```
        3 6
1.5 ) 5 4.0
      4 5
        9 0
        9 0
          0
```

10
```
        6
1.5 ) 9.0
      9 0
        0
```

11
```
        5
1.4 ) 7.0
      7 0
        0
```

12
```
        2 5
2.2 ) 5 5.0
      4 4
      1 1 0
      1 1 0
          0
```

13
```
        1 5
3.4 ) 5 1.0
      3 4
      1 7 0
      1 7 0
          0
```

14
```
        3 4
2.5 ) 8 5.0
      7 5
      1 0 0
      1 0 0
          0
```

15
```
          5
3.2 ) 1 6.0
      1 6 0
          0
```

16
```
          4
3.5 ) 1 4.0
      1 4 0
          0
```

17
```
        1 5
4.4 ) 6 6.0
      4 4
      2 2 0
      2 2 0
          0
```

18
```
        1 4
6.5 ) 9 1.0
      6 5
      2 6 0
      2 6 0
          0
```

19
```
        1 5
1.8 ) 2 7.0
      1 8
        9 0
        9 0
          0
```

20
5
2.6)13.0
130
0

21
5
4.6)23.0
230
0

22
25
3.6)90.0
72
180
180
0

23
16
2.5)40.0
25
150
150
0

24
15
6.2)93.0
62
310
310
0

74~75쪽 연습 ❹

1 5
2 8
3 5
4 8
5 5
6 4
7 15
8 15
9 12
10 16
11 15
12 26
13 8
14 8
15 5
16 5
17 8
18 15
19 45
20 25
21 25
22 20
23 20
24 20
25 15 / 15명

76~77쪽 적용 ❹

1 25
2 15
3 8
4 25
5 44
6 35
7 25
8 16
9 15
10 5
11 35
12 22
13 15
14 15
15 50
16 16

78~79쪽 원리 ❺

1
50
0.12)6.00
60
0

2
48
0.25)12.00
100
200
200
0

3
25
0.72)18.00
144
360
360
0

4
20
0.75)15.00
150
0

5
25
0.52)13.00
104
260
260
0

6
16
0.75)12.00
75
450
450
0

7
8
0.75)6.00
600
0

8
4
1.75)7.00
700
0

9
24
1.25)30.00
250
500
500
0

10
75
0.48)36.00
336
240
240
0

11
25
1.68)42.00
336
840
840
0

12
40
0.85)34.00
340
0

13
8
2.25)18.00
1800
0

14
25
1.36)34.00
272
680
680
0

15
25
1.88)47.00
376
940
940
0

16
44
2.25)99.00
900
900
900
0

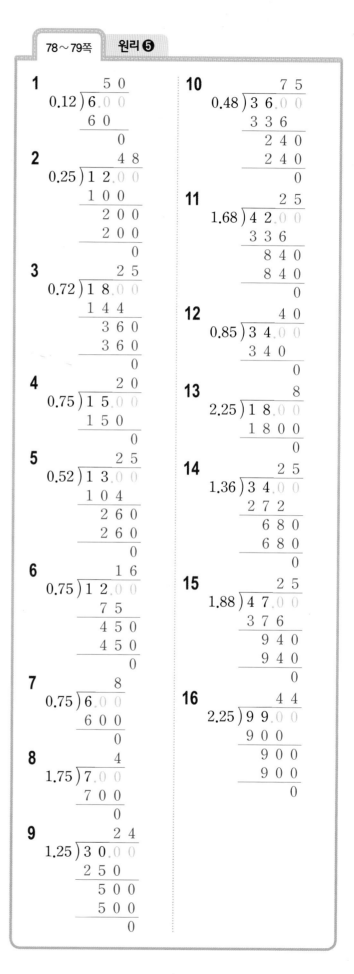

80~81쪽 연습 ❺

1	40	**14**	28
2	60	**15**	25
3	25	**16**	20
4	75	**17**	25
5	44	**18**	25
6	48	**19**	60
7	40	**20**	75
8	24	**21**	24
9	28	**22**	20
10	25	**23**	75
11	25	**24**	56
12	50	**25**	20 / 20개
13	25		

1
```
         4 0
0.75 ) 3 0.0 0
       3 0 0
           0
```

13
```
           2 5
1.68 ) 4 2.0 0
       3 3 6
         8 4 0
         8 4 0
             0
```

82~83쪽 적용 ❺

1	4	**9**	50
2	75	**10**	25
3	40	**11**	40
4	75	**12**	28
5	12	**13**	50
6	80	**14**	16
7	25	**15**	25
8	60	**16**	75

1 $13 \div 3.25 = 4$

2 $21 \div 0.28 = 75$

3 $54 \div 1.35 = 40$

4 $72 \div 0.96 = 75$

5 $27 \div 2.25 = 12$

6 $68 \div 0.85 = 80$

7 $31 \div 1.24 = 25$

8 $69 \div 1.15 = 60$

9 $31 \div 0.62 = 50$

10 $42 \div 1.68 = 25$

11 $58 \div 1.45 = 40$

12 $77 \div 2.75 = 28$

13 $68 \div 1.36 = 50$

14 $36 \div 2.25 = 16$

15 $72 \div 2.88 = 25$

16 $108 \div 1.44 = 75$

84~85쪽 원리 ❻

1
```
     1.1  / 1
8 ) 9.0
    8
    1 0
      8
      2
```

2
```
      1.8  / 2
6 ) 1 1.0
      6
      5 0
      4 8
        2
```

3
```
         8.6  / 9
0.8 ) 6.9 0
      6 4
        5 0
        4 8
          2
```

4
```
      3.6 6  / 3.7
3 ) 1 1.0 0
      9
      2 0
      1 8
        2 0
        1 8
          2
```

5
```
         6.8 1
1.1 ) 7.5 0 0
      6 6
        9 0
        8 8
          2 0
          1 1
            9
```
/ 6.8

6
```
      3.6 6 6
6 ) 2 2.0 0 0
    1 8
      4 0
      3 6
        4 0
        3 6
          4 0
          3 6
            4
```
/ 3.67

7

```
          3.4 4 4
0.9)3.1 0 0 0
    2 7
      4 0
      3 6
        4 0
        3 6
          4 0
          3 6
            4
```

/ 3.44

8

```
          3.2 8 5
1.4)4.6 0 0 0
    4 2
      4 0
      2 8
      1 2 0
      1 1 2
          8 0
          7 0
          1 0
```

/ 3.29

9

```
       2.4 2 8 5
7)1 7.0 0 0 0
  1 4
    3 0
    2 8
      2 0
      1 4
        6 0
        5 6
          4 0
          3 5
            5
```

/ 2.429

10

```
       8.1 6 6 6
6)4 9.0 0 0 0
  4 8
    1 0
      6
      4 0
      3 6
        4 0
        3 6
          4 0
          3 6
            4
```

/ 8.167

86～87쪽 **연습 6**

1	3	**12**	4.22
2	10	**13**	12.43
3	9	**14**	70.38
4	5	**15**	4.17
5	9	**16**	14.333
6	1.3	**17**	10.857
7	8.3	**18**	8.667
8	9.3	**19**	6.048
9	4.2	**20**	4.047
10	2.5	**21**	3.928, 3.93 / 3.93배
11	2.67		

1

```
     3.1  ➡ 3
7)2 2.0
  2 1
    1 0
      7
      3
```

2

```
     9.6  ➡ 10
3)2 9.0
  2 7
    2 0
    1 8
      2
```

3

```
       8.8  ➡ 9
0.6)5.3 0
    4 8
      5 0
      4 8
        2
```

6

```
     1.3 3  ➡ 1.3
9)1 2.0 0
    9
    3 0
    2 7
      3 0
      2 7
        3
```

7

```
     8.2 8  ➡ 8.3
7)5 8.0 0
  5 6
    2 0
    1 4
      6 0
      5 6
        4
```

8

```
       9.3 3  ➡ 9.3
0.6)5.6 0 0
    5 4
      2 0
      1 8
        2 0
        1 8
          2
```

11 16÷6=2.666…… ➡ 2.67

12 38÷9=4.222…… ➡ 4.22

16 43÷3=14.3333…… ➡ 14.333

17 76÷7=10.8571…… ➡ 10.857

88～89쪽 적용 ❻

1 5
2 7
3 5
4 4
5 0.3
6 3.1
7 10.7
8 14.9
9 9.33
10 7.43
11 3.89
12 4.77
13 4.889
14 8.333
15 7.833
16 13.788

1 $32\div6=5.\underline{3}\cdots\cdots$ ➡ 5
2 $47\div7=6.\underline{7}\cdots\cdots$ ➡ 7
3 $3.2\div0.7=4.\underline{5}\cdots\cdots$ ➡ 5
4 $1.03\div0.29=3.\underline{5}\cdots\cdots$ ➡ 4
5 $3\div9=0.3\underline{3}\cdots\cdots$ ➡ 0.3
6 $34\div11=3.0\underline{9}\cdots\cdots$ ➡ 3.1
7 $6.4\div0.6=10.6\underline{6}\cdots\cdots$ ➡ 10.7
8 $2.24\div0.15=14.9\underline{3}\cdots\cdots$ ➡ 14.9
9 $28\div3=9.33\underline{3}\cdots\cdots$ ➡ 9.33
10 $52\div7=7.42\underline{8}\cdots\cdots$ ➡ 7.43
11 $3.5\div0.9=3.88\underline{8}\cdots\cdots$ ➡ 3.89
12 $1.67\div0.35=4.77\underline{1}\cdots\cdots$ ➡ 4.77
13 $44\div9=4.888\underline{8}\cdots\cdots$ ➡ 4.889
14 $25\div3=8.333\underline{3}\cdots\cdots$ ➡ 8.333
15 $9.4\div1.2=7.833\underline{3}\cdots\cdots$ ➡ 7.833
16 $4.55\div0.33=13.787\underline{8}\cdots\cdots$ ➡ 13.788

90～91쪽 원리 ❼

1
　　1
4)6.5
　　4
　　2.5
/ 1, 2.5

2
　　2
3)7.3
　　6
　　1.3
/ 2, 1.3

3
　　3
5)1 5.2
　1 5
　　0.2
/ 3, 0.2

4
　　3
1.2)4.3
　3 6
　0.7
/ 3, 0.7

5
　　9
0.9)8.4
　8 1
　0.3
/ 9, 0.3

6
　　7
0.45)3.2 8
　3 1 5
　0.1 3
/ 7, 0.13

7
　　2
3)8.4
　　6
　　2.4
/ 2, 2.4

8
　　2
4)1 0.6
　　8
　　2.6
/ 2, 2.6

9
　　4
7)2 9.5
　2 8
　　1.5
/ 4, 1.5

10
　　6
0.6)4.1
　3 6
　0.5
/ 6, 0.5

11
　　8
0.9)7.9
　7 2
　0.7
/ 8, 0.7

12
　　8
1.1)9.6
　8 8
　0.8
/ 8, 0.8

13
　　7
0.26)1.9 9
　1 8 2
　0.1 7
/ 7, 0.17

14
　　5
1.05)5.3 8
　5 2 5
　0.1 3
/ 5, 0.13

15
　　3
2.14)7.1 5
　6 4 2
　0.7 3
/ 3, 0.73

16
　　7
0.5)3.7 7
　3 5
　0.2 7
/ 7, 0.27

92~93쪽 **연습 7**

1	2 … 1.3	**14**	4 … 2.2
2	2 … 1.1	**15**	5 … 5.7
3	1 … 2.6	**16**	7 … 0.4
4	4 … 2.8	**17**	25 … 0.4
5	6 … 2.5	**18**	16 … 0.6
6	6 … 4.4	**19**	28 … 1.1
7	5 … 0.2	**20**	17 … 0.11
8	2 … 0.3	**21**	3 … 0.19
9	3 … 1.3	**22**	2 … 0.16
10	51 … 0.02	**23**	3 … 0.05
11	7 … 0.18	**24**	2 … 0.43
12	3 … 0.14	**25**	42, 0.1 / 42상자, 0.1 m
13	2 … 2.5		

94~95쪽 **적용 7**

1	7, 1.6	**9**	8, 1.4
2	5, 1.5	**10**	6, 2.3
3	7, 2.3	**11**	4, 1.1
4	7, 1.4	**12**	9, 0.5
5	8, 0.4	**13**	15, 2.6
6	12, 0.8	**14**	16, 0.01
7	19, 0.14	**15**	6, 0.08
8	13, 0.02	**16**	8, 0.04

1 29.6÷4=7 … 1.6
2 36.5÷7=5 … 1.5
3 65.3÷9=7 … 2.3
4 57.4÷8=7 … 1.4
5 6.8÷0.8=8 … 0.4
6 15.2÷1.2=12 … 0.8
7 4.51÷0.23=19 … 0.14
8 19.13÷1.47=13 … 0.02
9 25.4÷3=8 … 1.4
10 50.3÷8=6 … 2.3
11 7.5÷1.6=4 … 1.1
12 16.7÷1.8=9 … 0.5
13 44.6÷2.8=15 … 2.6
14 2.09÷0.13=16 … 0.01
15 8.18÷1.35=6 … 0.08
16 20.36÷2.54=8 … 0.04

96~98쪽 **평가**

1	91	**20**	36
2	33	**21**	4
3	13	**22**	6
4	12	**23**	5
5	1.7	**24**	11.6
6	3.7	**25**	6.9
7	45	**26**	11.3
8	15	**27**	3 … 2.7
9	24	**28**	13 … 0.37
10	75	**29**	
11	25		
12	25	**30**	
13	9		
14	8	**31**	1.6
15	11	**32**	3.4
16	7	**33**	130
17	5.2	**34**	75
18	2.4	**35**	6.89
19	75	**36**	8, 4.6

29 3.6÷0.3=12
7.5÷0.5=15
12.6÷1.4=9
30 6.08÷1.52=4
6.88÷0.86=8
8.28÷1.38=6
31 4.48÷2.8=1.6
32 5.78÷1.7=3.4
33 52÷0.4=130
34 57÷0.76=75
35 62÷9=6.888…… ➡ 6.89
36 60.6÷7=8 … 4.6

3 비례식과 비례배분

100~101쪽 원리 ❶

• 위에서부터 답을 채점하세요.

1 8 / 2
2 6 / 3
3 45 / 9
4 24 / 3
5 5 / 20
6 4 / 12
7 2 / 10
8 3 / 24
9 5 / 5
10 3 / 3
11 5 / 4
12 5 / 7
13 7 / 6
14 8 / 3
15 4 / 2
16 8 / 7
17 7 / 9
18 5 / 5
19 9 / 3
20 2 / 9

102~103쪽 연습 ❶

1 18
2 10
3 21
4 20
5 63
6 12
7 48
8 30
9 49
10 30
11 15
12 42
13 36
14 40
15 24
16 35
17 7
18 9
19 7
20 6
21 10
22 12
23 8
24 7
25 5
26 3
27 8
28 6
29 7
30 13
31 90 / 90개

8 $9:5=(9\times6):(5\times6)=54:30$
16 $7:12=(7\times5):(12\times5)=35:60$
24 $30:35=(30\div5):(35\div5)=6:7$
30 $65:40=(65\div5):(40\div5)=13:8$
31 $10:7=(10\times9):(7\times9)=90:63$

104~105쪽 원리 ❷

• 위에서부터 답을 채점하세요.

1 9 / 10
2 70 / 100
3 10 / 11
4 100 / 69
5 4 / 28
6 15 / 20
7 24 / 16
8 63 / 27
9 3 / 10
10 5 / 7
11 11 / 9
12 100 / 1
13 50 / 7
14 80 / 7
15 0.4, 4
16 2.7, 27
17 0.5, 5
18 1.12, 112
19 4, 8
20 17, 17
21 21, 147
22 31, 31

106~107쪽 연습 ❷

1 7 : 4
2 13 : 6
3 5 : 7
4 43 : 57
5 96 : 101
6 43 : 75
7 270 : 149
8 5 : 22
9 8 : 5
10 9 : 14
11 35 : 16
12 22 : 35
13 91 : 36
14 6 : 1
15 16 : 9
16 15 : 8
17 7 : 8
18 5 : 8
19 7 : 9
20 8 : 11
21 12 : 53
22 8 : 3
23 5 : 8
24 10 : 11
25 4 : 7
26 23 : 8
27 22 : 35
28 4 : 15
29 50 : 39
30 102, 89 / 102 : 89

16 $\frac{5}{6}:\frac{4}{9}=\left(\frac{5}{6}\times18\right):\left(\frac{4}{9}\times18\right)=15:8$
24 $700:770=(700\div70):(770\div70)=10:11$
30 $25.5:22\frac{1}{4}=25.5:22.25$
$=(25.5\times100):(22.25\times100)$
$=2550:2225$
$=(2550\div25):(2225\div25)$
$=102:89$

108~109쪽 원리 ❸

• 위에서부터 답을 채점하세요.

1 6 / 6
2 4 / 4
3 18 / 18
4 40 / 40
5 6 / 6
6 9 / 9
7 5 / 5
8 4 / 4
9 9 / 9
10 15 / 15
11 15 / 15
12 7 / 7
13 9 / 9
14 5 / 5
15 8 / 8
16 20 / 20
17 2 / 2
18 15 / 15
19 3 / 3
20 5 / 5

110~111쪽 연습 ❸

1 25
2 72
3 21
4 48
5 3
6 4
7 8
8 6
9 35
10 12
11 56
12 6
13 7
14 3
15 6
16 16
17 2
18 4
19 35
20 3
21 33
22 6
23 18
24 3
25 36
26 12
27 210
28 6
29 80
30 15
31 10000 / 10000원

16 $\square \times 72 = 9 \times 128$, $\square \times 72 = 1152$, $\square = 1152 \div 72 = 16$

24 $\square \times 12 = 24 \times 1.5$, $\square \times 12 = 36$, $\square = 36 \div 12 = 3$

29 $\frac{5}{8} \times \square = 2 \times 25$, $\frac{5}{8} \times \square = 50$, $\square = 50 \div \frac{5}{8} = 80$

30 $\square \times 0.4 = 12 \times \frac{1}{2}$, $\square \times 0.4 = 6$, $\square = 6 \div 0.4 = 15$

31 $2.5 \times 16000 = 4 \times \square$, $40000 = 4 \times \square$, $\square = 40000 \div 4 = 10000$

112~113쪽 원리 ❹

1 2, 7, $\frac{2}{9}$, 4 / 2, 7, $\frac{7}{9}$, 14
2 3, 7, $\frac{3}{10}$, 6 / 3, 7, $\frac{7}{10}$, 14
3 4, 3, $\frac{4}{7}$, 24 / 4, 3, $\frac{3}{7}$, 18
4 5, 3, $\frac{5}{8}$, 15 / 5, 3, $\frac{3}{8}$, 9
5 1, 5, $\frac{1}{6}$, 6 / 1, 5, $\frac{5}{6}$, 30
6 5, 4, $\frac{5}{9}$, 35 / 5, 4, $\frac{4}{9}$, 28
7 4, 1, $\frac{4}{5}$, 200 / 4, 1, $\frac{1}{5}$, 50
8 5, 6, $\frac{5}{11}$, 150 / 5, 6, $\frac{6}{11}$, 180
9 8, 5, $\frac{8}{13}$, 400 / 8, 5, $\frac{5}{13}$, 250
10 3, 2, $\frac{3}{5}$, 360 / 3, 2, $\frac{2}{5}$, 240
11 3, 5, $\frac{3}{8}$, 270 / 3, 5, $\frac{5}{8}$, 450
12 7, 2, $\frac{7}{9}$, 630 / 7, 2, $\frac{2}{9}$, 180
13 4, 11, $\frac{4}{15}$, 240 / 4, 11, $\frac{11}{15}$, 660
14 5, 2, $\frac{5}{7}$, 600 / 5, 2, $\frac{2}{7}$, 240

114~115쪽 연습 ❹

1 10, 4
2 12, 18
3 6, 42
4 24, 30
5 30, 40
6 60, 36
7 120, 40
8 180, 40
9 60, 210
10 120, 240
11 180, 210
12 280, 120
13 180, 300
14 360, 180
15 200, 350
16 100, 500
17 300, 420
18 100, 700
19 230, 690
20 900, 100
21 490, 560
22 300, 900
23 9000, 6000 / 9000원, 6000원

116~117쪽 적용

1 

2 

3 

4 

5 27 : 35

6 2 : 3

7 32 : 21

8 4 : 15

9 4 : 3

10 9 : 8

11 10 : 21

12 7 : 4

13 8

14 7

15 64

16 4

17 2

18 3

19 3

20 3

21 33 / 55

22 28 / 77

23 250 / 100

24 540 / 240

6 $4.2 : 6.3 = (4.2 \times 10) : (6.3 \times 10) = 42 : 63$
$= (42 \div 21) : (63 \div 21) = 2 : 3$

11 $\frac{1}{3} : 0.7 = \frac{1}{3} : \frac{7}{10}$
$= \left(\frac{1}{3} \times 30\right) : \left(\frac{7}{10} \times 30\right) = 10 : 21$

12 $1.4 : \frac{4}{5} = 1.4 : 0.8$
$= (1.4 \times 10) : (0.8 \times 10) = 14 : 8$
$= (14 \div 2) : (8 \div 2) = 7 : 4$

15 $7 \times ◆ = 8 \times 56$, $7 \times ◆ = 448$, $◆ = 448 \div 7 = 64$

16 $◆ \times 45 = 15 \times 12$, $◆ \times 45 = 180$,
$◆ = 180 \div 45 = 4$

17 $24 \times 0.5 = 6 \times ◆$, $12 = 6 \times ◆$, $◆ = 12 \div 6 = 2$

18 $3.2 \times 15 = ◆ \times 16$, $48 = ◆ \times 16$, $◆ = 48 \div 16 = 3$

19 $2 \times ◆ = 8 \times \frac{3}{4}$, $2 \times ◆ = 6$, $◆ = 6 \div 2 = 3$

20 $◆ \times 3 = \frac{1}{2} \times 18$, $◆ \times 3 = 9$, $◆ = 9 \div 3 = 3$

23 가: $350 \times \frac{5}{5+2} = 350 \times \frac{5}{7} = 250$
나: $350 \times \frac{2}{5+2} = 350 \times \frac{2}{7} = 100$

24 가: $780 \times \frac{9}{9+4} = 780 \times \frac{9}{13} = 540$
나: $780 \times \frac{4}{9+4} = 780 \times \frac{4}{13} = 240$

118~120쪽 평가

1 33

2 42

3 64

4 60

5 3

6 10

7 15

8 12

9 7 : 15

10 24 : 49

11 36 : 35

12 55 : 56

13 8 : 7

14 5 : 9

15 14 : 5

16 7 : 3

17 25

18 9

19 78

20 9

21 6

22 12

23 11

24 147

25 35, 14

26 13, 39

27 33, 55

28 210, 90

29 200, 280

30 120, 660

31 500, 350

32 

33 

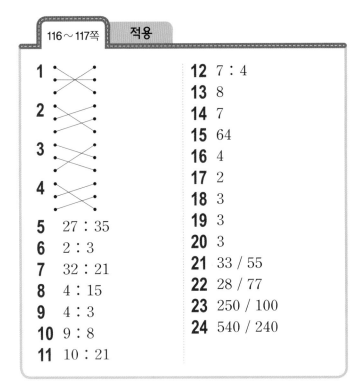

34 19 : 22

35 55 : 72

36 7 : 5

37 8

38 3

39 14

40 240 / 300

41 420 / 480

33 $28 : 63 = 4 : 9$
$30 : 36 = 5 : 6$
$27 : 63 = 3 : 7$

34 $1.9 : 2.2 = (1.9 \times 10) : (2.2 \times 10) = 19 : 22$

35 $\frac{5}{9} : \frac{8}{11} = \left(\frac{5}{9} \times 99\right) : \left(\frac{8}{11} \times 99\right) = 55 : 72$

36 $210 : 150 = (210 \div 30) : (150 \div 30) = 7 : 5$

37 $2 \times 60 = 15 \times ◆$, $120 = 15 \times ◆$, $◆ = 120 \div 15 = 8$

38 $8 \times ◆ = 1.2 \times 20$, $8 \times ◆ = 24$, $◆ = 24 \div 8 = 3$

39 $\frac{4}{7} \times 49 = ◆ \times 2$, $28 = ◆ \times 2$, $◆ = 28 \div 2 = 14$

40 가: $540 \times \frac{4}{4+5} = 540 \times \frac{4}{9} = 240$
나: $540 \times \frac{5}{4+5} = 540 \times \frac{5}{9} = 300$

41 가: $900 \times \frac{7}{7+8} = 900 \times \frac{7}{15} = 420$
나: $900 \times \frac{8}{7+8} = 900 \times \frac{8}{15} = 480$

4 원의 넓이

122～123쪽 원리 ❶

1	3, 3.14, 9.42	10	4, 2, 3.1, 24.8
2	5, 3.14, 15.7	11	8, 2, 3.1, 49.6
3	8, 3.14, 25.12	12	11, 2, 3.1, 68.2
4	11, 3.14, 34.54	13	15, 2, 3.1, 93
5	4, 3.14, 12.56	14	3, 2, 3.1, 18.6
6	7, 3.14, 21.98	15	6, 2, 3.1, 37.2
7	9, 3.14, 28.26	16	12, 2, 3.1, 74.4
8	10, 3.14, 31.4	17	14, 2, 3.1, 86.8
9	2, 2, 3.1, 12.4	18	16, 2, 3.1, 99.2

124～125쪽 연습 ❶

1	6.28 cm	11	43.4 cm
2	40.82 cm	12	80.6 cm
3	59.66 cm	13	111.6 cm
4	69.08 cm	14	142.6 cm
5	78.5 cm	15	179.8 cm
6	37.68 cm	16	31 cm
7	43.96 cm	17	55.8 cm
8	53.38 cm	18	105.4 cm
9	65.94 cm	19	130.2 cm
10	75.36 cm	20	328.6 cm

126～127쪽 원리 ❷

1	6.28, 3.14, 2	9	18.84, 3.14, 2, 3
2	15.7, 3.14, 5	10	25.12, 3.14, 2, 4
3	18.84, 3.14, 6	11	50.24, 3.14, 2, 8
4	21.98, 3.14, 7	12	69.08, 3.14, 2, 11
5	6.2, 3.1, 2	13	12.4, 3.1, 2, 2
6	12.4, 3.1, 4	14	31, 3.1, 2, 5
7	15.5, 3.1, 5	15	49.6, 3.1, 2, 8
8	21.7, 3.1, 7	16	74.4, 3.1, 2, 12

128～129쪽 연습 ❷

1	3 cm	11	6 cm
2	9 cm	12	9 cm
3	11 cm	13	14 cm
4	14 cm	14	22 cm
5	15 cm	15	32 cm
6	6 cm	16	13 cm
7	8 cm	17	17 cm
8	10 cm	18	23 cm
9	11 cm	19	25 cm
10	16 cm	20	30 cm

130～131쪽 원리 ❸

1	3.1, 2, 2, 12.4	8	3, 5, 5, 75
2	3.1, 5, 5, 77.5	9	3, 8, 8, 192
3	3.1, 9, 9, 251.1	10	3, 10, 10, 300
4	3.1, 4, 4, 49.6	11	3, 4, 4, 48
5	3.1, 7, 7, 151.9	12	3, 6, 6, 108
6	3.1, 11, 11, 375.1	13	3, 7, 7, 147
7	3, 3, 3, 27	14	3, 9, 9, 243

132～133쪽 연습 ❸

1	113.04 cm^2	11	3.1 cm^2
2	530.66 cm^2	12	251.1 cm^2
3	706.5 cm^2	13	446.4 cm^2
4	1256 cm^2	14	793.6 cm^2
5	2826 cm^2	15	2790 cm^2
6	200.96 cm^2	16	12.4 cm^2
7	803.84 cm^2	17	151.9 cm^2
8	1384.74 cm^2	18	607.6 cm^2
9	2122.64 cm^2	19	1500.4 cm^2
10	4069.44 cm^2	20	2430.4 cm^2

134~135쪽 적용

1 
2 
3 
4 12 cm
5 20 cm
6 21 cm
7 12 cm
8 16 cm
9 18 cm
10 6, 111.6
11 5, 78.5
12 15, 675
13 10, 310
14 13, 530.66
15 6, 27.9
16 14, 153.86
17 22, 363
18 46, 1639.9
19 48, 1808.64

1 (원주)＝20×3.14＝62.8(cm)
(원주)＝16×3.14＝50.24(cm)
(원주)＝18×3.14＝56.52(cm)

2 (원주)＝9×3.1＝27.9(cm)
(원주)＝12×3.1＝37.2(cm)
(원주)＝10×3.1＝31(cm)

3 (원주)＝14×2×3＝84(cm)
(원주)＝16×2×3＝96(cm)
(원주)＝19×2×3＝114(cm)

4 (지름)＝37.68÷3.14＝12(cm)

5 (지름)＝62÷3.1＝20(cm)

6 (지름)＝63÷3＝21(cm)

7 (반지름)＝75.36÷3.14÷2＝12(cm)

8 (반지름)＝99.2÷3.1÷2＝16(cm)

9 (반지름)＝108÷3÷2＝18(cm)

10 (반지름)＝12÷2＝6(cm)
(넓이)＝3.1×6×6＝111.6(cm^2)

11 (반지름)＝10÷2＝5(cm)
(넓이)＝3.14×5×5＝78.5(cm^2)

12 (반지름)＝30÷2＝15(cm)
(넓이)＝3×15×15＝675(cm^2)

13 (반지름)＝20÷2＝10(cm)
(넓이)＝3.1×10×10＝310(cm^2)

14 (반지름)＝26÷2＝13(cm)
(넓이)＝3.14×13×13＝530.66(cm^2)

15 (지름)＝3×2＝6(cm)
(넓이)＝3.1×3×3＝27.9(cm^2)

16 (지름)＝7×2＝14(cm)
(넓이)＝3.14×7×7＝153.86(cm^2)

17 (지름)＝11×2＝22(cm)
(넓이)＝3×11×11＝363(cm^2)

18 (지름)＝23×2＝46(cm)
(넓이)＝3.1×23×23＝1639.9(cm^2)

19 (지름)＝24×2＝48(cm)
(넓이)＝3.14×24×24＝1808.64(cm^2)

136~138쪽 평가

1 47.1 cm
2 72.22 cm
3 81.64 cm
4 106.76 cm
5 125.6 cm
6 3 cm
7 9 cm
8 13 cm
9 18 cm
10 32 cm
11 6 cm
12 10 cm
13 11 cm
14 16 cm
15 22 cm
16 78.5 cm^2
17 615.44 cm^2
18 907.46 cm^2
19 1017.36 cm^2
20 1384.74 cm^2
21 
22 
23 16 cm, 8 cm
24 18 cm, 9 cm
25 13, 507
26 17, 895.9
27 38, 1133.54
28 50, 1937.5
29 24, 432

21 (원주)＝7×3＝21(cm)
(원주)＝9×3＝27(cm)
(원주)＝5×3＝15(cm)

22 (원주)＝22×2×3.1＝136.4(cm)
(원주)＝19×2×3.1＝117.8(cm)
(원주)＝10×2×3.1＝62(cm)

23 (지름)＝48÷3＝16(cm)
(반지름)＝16÷2＝8(cm)

25 (반지름)＝26÷2＝13(cm)
(넓이)＝3×13×13＝507(cm^2)

27 (지름)＝19×2＝38(cm)
(넓이)＝3.14×19×19＝1133.54(cm^2)

초능력 수학 연산 6·2

정답 및 풀이

하루 2쪽

10분 완성

초능력 수학 연산